Ruth S. Miller.

Nov. 30, 1897.

Madame Davies - Teacher

JEANNE D'ARC.

BY A. DE LAMARTINE.

ALBERT BARRÈRE,

PROFESSOR, ROYAL MILITARY ACADEMY, WOOLWICH, ENGLAND;
EXAMINER TO THE WAR OFFICE; OFFICIER DE
L'INSTRUCTION PUBLIQUE.

BOSTON:
D. C. HEATH & COMPANY.
1897.

INTRODUCTION.

ALPHONSE MARIE LOUIS DE PRAT DE LAMARTINE, a poet, historian, diplomatist, and statesman, was born at Mâcon, Oct. 21st, 1790, and died at Paris, 21st March, 1869. He belonged to an ancient and noble family of Burgundy. His father had served under the monarchy as a major in a cavalry regiment; as for his mother, Lamartine, in his "Confidences," has portrayed her as being gifted with every womanly virtue, and his very touching panegyric has been confirmed by general report. Everywhere, in his writings, are to be found evidences of her influence on his mind and on the peculiar bent of his ideas. "My education," he says, "lay wholly in the varying calm of her eye, in her smile more or less cheerful. I could read in her eyes; what she loved, I loved; all my sensations and thoughts were but a reflection of her own."

In 1820 he published his "Méditations Poétiques," which met with the greatest success as being the creation of a new style of poetry, the French lyric poetry of the age. A short time after, Lamartine was appointed to a diplomatic post at Naples, where he married a wealthy English lady.

Then came "Les Nouvelles Méditations" (1823), followed by "Le Chant du Sacre" (1825). "Les Harmonies Poétiques et Religieuses" (1829), full of religious enthusiasm and poetic grandeur; the "Voyage en Orient," (1835). The enormous expenses of this journey, during which he lost his only daughter, greatly impaired his fortune and partly caused the pecuniary difficulties through which he had to struggle in his old age. "Jocelyn" (1835), a poem inspired by true Christian spirit; "La Chute d'un Ange" (1838), "Recueillements Poétiques" (1839); the "Histoire des Girondins" (1847), concerning which the author of "Mirabeau" says: "It appeared at a time of great political ferment; to young France it sounded like a trumpet call to revolution—a magnificent historical romance, rather than a history pure and simple, in which facts are subordinate to effect, truths to description. The gorgeous hues of a poetic imagination suffuse alike the heroes of the National Assembly and the murderers of the Commune."

He then produced in succession, "Histoire de la Révolution de 1848" (1849), "Les Confidences" (1849), "Toussaint Louverture" (1850), "Les Nouvelles Confidences" (1851), Geneviève (1851), "Le Tailleur de Saint-Point" (1851), "Graziella" (1852), "Histoire de la Restauration" (1851—63), "Nouveau Voyage en Orient" (1853), "Histoire de la Turquie" (1854), "Histoire de la Russie" (1855), etc.

The scope of this notice does not permit of describing at length the political career of Lamartine. Let it suffice to say, therefore, that in 1834 he was sent to Parliament to represent the constituency of Bergues, and that of Mâcon from 1839 till 1848, when, after the collapse of the monarchy, popular favour put him in power as a member of the "Gouvernement Provisoire." His popularity, however, was short lived, and as a politician he soon relapsed into almost absolute obscurity.

In point of accuracy as regards detail, Lamartine's Jeanne d'Arc is more the work of a poet and philosopher than that of a matter-of-fact historian. It is a simple and touching story, "plus semblable," to quote his own words, "à un récit de la Bible, qu'à une page du monde nouveau."

The author of "Mirabeau" has sketched with such clever touches the character of Lamartine that we cannot refrain from again quoting his words.

"The character of Lamartine," he says, "with all its virtues and all its faults, is revealed in the history of his life. As a statesman he must rank very low, being simply a theorist; but his errors were those of a noble mind filled to overflowing with pity for the suffering and the oppressed. As a writer he stands in the foremost rank of French authors. His style is glowing and picturesque, his powers of description are marvellous, his poetry is the most *poetical* in the French Language; of all her writers he has the most *soul*; as a story-teller no one is more charming; his faults are a strong tendency to the inflated and the exaggerated, to a morbid sentimentalism which too frequently sinks into bathos and emasculation. He is, above all others, the poet of the women. . . He was the soul of honour, the bravest of the brave, the most generous of men. Pages could be filled with anecdotes of his gentleness of heart and boundless charity. The emoluments which he derived as a member of the Provisional Government he distributed freely and unasked among the poor authors of Paris, and the letters which accompanied these gifts doubled the obligation. Sunday, his only holiday, was devoted to charity; his doors were opened to all who suffered, who were in want. All who came, whether known or unknown, he greeted with extended hand, with kindly smile and words, to soften the bitterness and humiliation of their position; . . only the revenues of a prince could sustain such munificence. For years before his death he was overwhelmed with debts, and reduced to comparative indigence, but the divine impulse of charity remained as active as ever. He was saving up to buy himself a little pony-chaise to take the air in; he had gathered just a thousand francs, when a poor woman who lived in the neighbourhood came to him with a piteous tale; her goods had been seized by a hard-hearted creditor, and homeless destitution stared her in the face. 'How much do you require?' he asked, 'A thousand francs,' was the answer. There was a momentary struggle, and then he went away, fetched his little hoard, and placed it in her hand.

"The man who could do these deeds was a *Christian* No higher or rarer praise can be bestowed upon him, for generations frequently pass away without producing one such."

JEANNE D'ARC.

I.

L'AMOUR de la patrie est aux peuples ce que
1 l'amour de la vie est aux hommes isolés, car la patrie
2 est la vie des nations. Aussi cet amour de la patrie
a-t-il enfanté, dans tous les temps et dans tous les pays,
des miracles d'inspiration, de dévouement et d'héroïsme.
3 Comment en serait-il autrement? Les actes sont pro-
portionnés à la force du mobile qui les produit. La
passion du citoyen pour sa patrie se compose de toutes
les passions personnelles ou désintéressées dont Dieu a
4 pétri le cœur humain: amour de soi-même, et dé-
fense du droit sacré que tout homme venant en ce
monde a d'occuper sa place au soleil sur la terre; amour
5 de la famille, qui n'est que la patrie rétrécie et serrée

---

1 *hommes isolés*, individuals.

2 *Aussi* at the beginning of a sentence and followed by a verb has the signification of: therefore, thus.

3 *en serait-il*, could it be.

4 *a pétri*, has formed. Pétrir, literally, to knead.

5 *rétrécie et serrée*, straitened and pressed.

autour du cœur de ses fils : amour du père, de la mère,
6 des aïeux, de tous ceux de qui on a reçu le sang ; la
tendresse, la langue, les soins, l'héritage matériel ou
immatériel, en en venant occuper la place qu'ils nous
ont préparée autour d'eux ou après eux sous le toit ou
dans le champ paternel ; amour de la femme, que notre
bras doit protéger dans sa faiblesse ; amour des enfants,
en qui nous revivons par la perpétuité du sang et à qui
nous devons laisser, même au prix de notre vie, le sol, le
nom, la sûreté, l'indépendance, l'honneur national, qui
7 font la dignité de notre race ; amour de la propriété,
8 instinct conservateur de l'espèce, qui incorpore à
chaque homme un morceau de cette terre dont il est
formé ; amour du ciel, de l'air, de la mer, des mon-
9 tagnes, des horizons, des climats, âpres ou doux, mais
dans lesquels nous sommes nés et qui sont devenus,
par l'habitude, des parties de nous-mêmes, des besoins
délicieux de notre âme, de nos yeux, de nos sens ;
amour des mœurs, des langues, des lois, des gouvernements, qui nous ont, pour ainsi dire, emmaillottés dès
le berceau, que nous pouvons vouloir modifier libre-
ment par notre propre lumière et par notre volonté
nationale, mais dont nous ne devons pas permettre

---

6 *le sang*, life.
7 *font*, form. *amour de la propriété*, fondness for ownership.
8 *l'espèce*, mankind.
9 *doux*, mild.

10 qu'on nous en exproprie par la violence de l'épée étrangère, car la civilisation même, imposée par la force, est
une servitude, et la première condition pour qu'un
progrès social soit accepté par un peuple, c'est que ce
peuple soit libre de le refuser.

En récapitulant par la pensée toutes ces passions
instinctives dont se compose pour nous l'amour de la
patrie, et en y ajoutant encore une passion naturelle à
11 l'homme, la passion de sa propre mémoire, du souvenir
de ses contemporains et de ses descendants, de la
gloire de la postérité qui inspire et qui récompense
12 dans le lointain les grands sacrifices, les dévouements
13 jusqu'à la mort à son pays, on comprend que, de toutes
les nobles passions humaines, celle-là est la plus puis-
14 sante parce qu'elle les contient toutes à la fois, et que,
15 s'il y a dans l'histoire des efforts surnaturels à attendre
de l'humanité, il faut les attendre du patriotisme.

---

10 *qu'on nous en exproprie*, that one should dispossess us.
11 *passion*, love.
12 *le lointain*, a distant future.
13 *jusqu'd*, even unto.
14 *à la fois*, at the same time.
15 *à attendre*, to be expected.

II.

16 TOUTES les fois qu'un pareil sentiment monte jusqu'à l'enthousiasme dans un pays, les femmes l'éprouvent au
17 même degré, et même à un degré supérieur aux hommes. La patrie ne leur appartient pas plus qu'à nous ; mais comme elles sont, par leur nature, plus impressionnables, plus sensibles et plus aimantes, elles s'incorporent plus personnellement, par tous leurs sens et par tout leur cœur, à ce qui les entoure. Çette chère et délicieuse image de la patrie se compose, pour elles, de leurs mères, de leurs sœurs, de leurs frères, de leurs époux, de leurs enfants, de leurs foyers, de leurs tombeaux, de leurs temples, de leurs dieux, et elles s'y attachent comme les choses faibles aux choses fortes, avec
18 d'autant plus d'enlacements et de frénésie que, quand ces appuis s'écroulent, elles périssent avec eux.

---

16 *Toutes les fois*, Whenever . . . *monte jusqu'à*, reaches.
17 *degré supérieur aux*, to a higher degree than.
18 *avec d'autant plus d'enlacements et de frénésie*, entwining themselves the more closely and with so much the more passion.

III.

ET puis (nos pères le savaient) la femme, inférieure
par ses sens, est supérieure par son âme. Les Gaulois
19 lui attribuaient un sens de plus, le sens divin. Ils
avaient raison. La nature leur a donné deux
sens douloureux, mais célestes, qui les distin-
guent et qui les élèvent souvent au-dessus de la
condition humaine ; la pitié et l'enthousiasme. Par la
pitié elles se dévouent, par l'enthousiasme elles s'exal-
tent. Exaltation et dévouement, n'est-ce pas là tout
l'héroïsme ? Elles ont plus de cœur et plus d'imagination que l'homme : c'est dans l'imagination qu'est l'enthousiasme, c'est dans le cœur qu'est le dévouement.
Les femmes sont donc plus naturellement héroïques
que les héros. Et quand cet héroïsme doit aller jus-
20 qu'au merveilleux, c'est d'une femme qu'il faut
21 attendre le miracle. Les hommes s'arrêteraient
à la vertu.

---

19 *de plus*, additional.

20 *doit aller jusqu'au*, is to reach the. *qu'il faut attendre*, that we must expect.

21 *s'arrêteraient*, would stop short.

IV.

Toutes les nations ont dans leurs annales quelques-uns de ces miracles de patriotisme dont une femme est l'instrument dans les mains de Dieu. Quand tout est désespéré dans une cause nationale, il ne faut pas
22 désespérer encore, s'il reste un foyer de résistance dans
23 un cœur de femme, qu'elle s'appelle Judith, Clélie, Jeanne d'Arc, la Cava en Espagne, Vittoria Colonna en Italie, Charlotte Corday de nos jours. A Dieu ne
24 plaise que je compare celles que je cite! Judith et Charlotte Corday se dévouèrent, mais elles se dévouèrent jusqu'au crime. Leur inspiration fut héroïque,
25 mais leur héroïsme se trompa d' arme: il prit le poi-

---

22 *foyer*, centre.

23 *qu'elle s'appelle*, whether her name be.

Judith killed the Assyrian general Holophernes (659 B.C.).

Clélie, a young Roman lady, an hostage of Porsenna, king of the Etruscans, escaped by swimming the Tiber (507 B.C.).

Vittoria Colonna, a poetess; surnamed the Divine, born at Marino in 1490.

Charlotte Corday killed Marat (1793), thinking thereby to put a stop to the Terror.

Count Julian, governor of Ceuta under Roderick, king of the Wisigoths, in order to avenge his daughter Florinda, surnamed La Cava, who had been carried off by the king, gave up the town to the Arabs who entered Spain in 711 after the battle of Xérès where Roderick was killed.

24 *A Dieu ne plaise que je compare*, God forbid I should establish a parallel between.

25 *se trompa d'*, mistook.

gnard du meurtrier, au lieu de saisir le glaive du héros.
26 Leur dévouement fut célèbre, mais il fut flétri, et c'est
27 juste. Jeanne d'Arc ne s'arma que de l'épée de son
pays : aussi fut-elle pour son temps, non pas seulement
l'inspirée du patriotisme, mais l'inspirée de Dieu.

---

26 *flétri*, stigmatized.

27 *Jeanne d'Arc ne s'arma que de*, Joan of Arc's only weapon was
Observe the construction, *ne . . . que*, only, nothing but.

CES inspirations, dont les crédulités populaires font des merveilles, sont-elles des miracles surnaturels en effet, des évocations matériellement divines, appelant par leurs noms des jeunes filles dans la foule pour leur donner la mission de sauver leur nation ? ou sont-elles simplement des miracles naturels, des sommations
28 muettes de l'inspiration intérieure, des contre-coups
29 épars et répercutés de l'impression d'un peuple
30 entier résumant ses souffrances dans un seul cœur, son cri dans un seul cri, et opérant ainsi, par une seule main, le prodige du salut de tous? L'historien
31 sérieux ne se pose seulement pas ces questions et ces doutes. S'il réprouve le sarcasme, cette impiété contre
32 l'admiration, dont un grand homme a profané son

---

28 *des sommations muettes*, silent promptings.

29 *des contre-coups épars et répercutés*, diffuse and reverberated echoes. *peuple*, nation.

30 *résumant*, embodying, literally summing up.

31 *ne se pose seulement pas ces questions et ces doutes*, does not even ask himself these questions and will not dwell on these doubts. *Ne se pose pas seulement*, would signify not only asks, etc.

32 *Voltaire*, who wrote a burlesque poem on Jeanne d'Arc, entitled : *La Pucelle*.

génie en cherchant à profaner cette pauvre martyre de la patrie, il n'introduit pas dans l'histoire les puérilités de l'imagination populaire. Le miracle de l'héroïsme est plus grand que celui de la légende. Il ne le discute pas, il le raconte. La critique tombe devant la sincérité d'un enfant. L'enthousiasme est un feu sacré. On n'analyse pas la flamme, on s'y éblouit et on s'y brûle. Voilà l'esprit dans lequel nous allons raconter cette histoire, plus semblable à un récit de la Bible qu'à une page du monde nouveau.

VI.

C'ÉTAIT en 1409. La France se décomposait avant d'avoir été achevée. Cette grande monarchie, qui n'était presque plus qu'une confuse fédération de vassaux indépendants et souvent rivaux de la couronne,
33 était tombée en lambeaux et en anarchie. En perdant son unité, elle allait perdre son indépendance. Le ciel l'avait frappée de deux fléaux : une reine perverse
34 et un roi insensé, un interrègne et une régence. Dans une monarchie, les interrègnes sont les évanouisse-
35 ments de l'autorité, les régences sont les gouvernements de la faiblesse. Une seule de ces conditions
36 suffit pour perdre une nation. Tout gouvernement est préférable à ces gouvernements sans possesseurs et disputés par l'intrigue ou par les armes entre des partis ambitieux.

Charles VI était roi de nom. Frappé de démence

---

33 *était tombée en lambeaux*, had fallen to pieces.

34 an allusion to *Isabeau de Bavière*, and to Charles VI. whom she married in 1385. When the king became insane in 1392 she assumed the regency jointly with the Duke of Burgundy and Louis d' Orléans, the king's brother, see page, 13, note, 53.

35 *évanouissements*, collapse.

36 *pour perdre*, to ruin. *Tout*, any.

par la terreur qu'il avait éprouvée en échappant avec peine à la mort dans une fête, où ses compagnons de plaisir et lui s'étaient enduits d'étoupe et de résine pour
37 imiter les brutes, et où quatre de ses courtisans avaient été consumés sous ses yeux, il languissait dans un idiotisme interrompu par des fureurs ou par des abattements qui le rendaient semblable à un enfant. Il avait épousé Isabeau de Bavière. Cette reine, douée par la
38 nature de la beauté des Poppée et des Théodora
39 ces femmes élevées au trône par le vice, en avait aussi
40 les légèretés, les perversités et les ambitions.

A peine cette jeune princesse était-elle montée sur le trône, qu'elle avait pressenti dans son mari la puérilité
41 d'esprit qui devait bientôt dégénérer en démence. Livrée, par les mœurs corrompues de cette époque et de cette cour, au tourbillon des plaisirs les plus emportés elle avait ressenti une passion coupable et politique pour le jeune duc d'Orléans, frère du roi. Ce prince,
42 plus fait par son courage pour le trône, plus fait par sa

---

37 *pour imiter les brutes*, to give themselves the appearance of animals.

38 The Emperor Otho's widow, became Nero's wife and died from a kick he gave her.

39 *Théodora*, a dancer and dissolute woman, became the wife of the Roman Emperor Justinian, (527).

40 *légèretés*, levity.

41 *qui devait bientôt*, which was soon.

42 *fait*, fitted.

44 grâce pour séduire le cœur d'une femme, avait partagé
par inclination et par ambition cette ardeur. Une orgie
nocturne, à la suite d'une mascarade, avait préludé au
crime. Depuis cette époque fatale, le duc d'Orléans et
la reine, unis de passion, de crime et d'intérêt, régnaient.
Les grands vassaux, les oncles du roi, le duc de Bour-
45 gogne, le duc d'Anjou, le duc de Bretagne, jaloux de ce
46 règne qui leur enlevait l'exploitation du royaume,
avaient entraîné dans leur cause le fils encore enfant du
roi. Dans ces jours de férocité, qui rappelaient l'an-
cienne Rome par les meurtres et la nouvelle Italie par
47 les conjurations, toutes les intrigues se dénouaient par
des assassinats. Le duc d'Orléans, appelé une nuit sous
un faux prétexte, et sortant du palais de la reine, est
renversé de son cheval et frappé de treize coups
de poignard par vingt hommes inconnus, qui laissent
son corps sanglant dans la rue à la porte de son hôtel.
La rumeur publique accuse le duc de Bourgogne du
48 crime, le jeune Dauphin d'acquiescement, ses partisans
49 de complicité. La reine, qui perd à la fois son amour

44 *séduire*, to win.

45 Jean Sans Peur, Duke of Burgundy from 1404 to 1419, the rival of the Duke of Orléans whom he caused to be assassinated, was murdered in his turn by the friends of his victim.

46 *leur enlevait*, deprived them of.

47 *se dénouaient*, were wound up.

48 *Dauphin*, the King's eldest son, and consequently heir to the throne. From Dauphiné, a province. *acquiescement*, compliance.

49 *amour*, lover—literally, love.

50 et sa force, jure de laver ses larmes dans le sang du
meurtrier. Elle se ligue avec le connétable d'Armagnac, beau-père du duc d'Orléans assassiné, contre le duc
de Bourgogne. Les d'Armagnac, famille sanguinaire,
proscrivent, massacrent, sont proscrits et massacrés
51 tour à tour dans Paris. Servant et dominant à la fois
52 la reine, leur instrument et leur victime, ils s'alarment de
l'ascendant d'un nouveau favori, le jeune Boisbourdon.
Ils osent l'immoler aux pieds de la reine, pour régner
seuls en son nom.

Désespérée de la mort, furieuse du crime, humiliée
53 du joug, Isabeau sacrifie ses ressentiments passés à sa
haine présente. Elle conspire avec le duc de Bourgogne
la perte et la mort des Armagnacs, et lui vend à la fois
leur sang et son cœur, en échange de la vengeance
54 qu'elle attend de lui. Le duc de Bourgogne rentre à la
55 faveur de cette trame dans Paris, immole les Armagnacs,
56 satisfait et assujettit la reine, prend la tutelle du roi,

---

50 *laver ses larmes*, to mix her tears, to assuage her grief.

51 *tour à tour*, alternately.

52 *ils s'alarment*, they grow alarmed.

53 Isabeau de Bavière (1371-1435), daughter of Etienne, second Duke of Bavière, wife of Charles VI. She leagued herself with Philippe le Bon to sign the treaty of Troyes (1420), which surrendered the kingdom of France to Henry V. of England.

54 *attend*, expects.

55 *à la faveur de*, thanks to.

56 *assujettit*, subdues

combat dans les provinces contre les restes du parti
57 contraire unis aux Anglais. Les Français, ainsi dé-
chirés en factions, succombent à la bataille d'Azincourt
qui livre la patrie au roi d'Angleterre sur les cadavres
de la noblesse française. Sept princes de la maison
royale sont ensevelis sur ce champ de bataille. Le fils
58 aîné du roi meurt de douleur; son frère, du poison
versé dans ses veines par les ennemis des Bourguignons.
Le troisième fils du roi, alors Dauphin, devenu plus tard
59 Charles VII, grandit dans cette alternative de mollesse
60 et de proscriptions, qui rappelle Rome par le sang et les
61 Gaules par la légèreté. Il s'essaie à gouverner avec
62 les Armagnacs. Il affecte la lassitude de la guerre et
la soif de la paix. Il décide avec peine le duc de
63 Bourgogne à une entrevue, prélude d'une réconciliation
générale des princes et des partis sur le pont de Montereau. Le duc de Bourgogne, poursuivi par l'ombre
64 de sa victime, le duc d'Orléans, hésite et craint un piège

---

57 *contraire*, adverse.

58 *douleur*, grief.

59 *mollesse*, indolence.

60 *rappelle*, reminds one.

61 *légèreté*, levity. *Il s'essaie*, He tries his hand.

62 Armagnacs and Bourguignons, two bitterly hostile factions which fought for the power, the one in behalf of the Duke of Burgundy, the other, of the Duke of Orléans.

63 Jean Sans Peur. See note 45, p. 12.

64 Louis (1371-1407), head of the Orléans Valois branch, second son of Charles V. by Jeanne de Bourbon.

65 dans son triomphe. On l'entraîne, il entre dans le
pavillon de la conférence, il y tombe à l'instant sous la
hache de Tanneguy du Châtel. Un cri d'horreur s'élève
de toute la France, et surtout à Paris vendu aux Bourguignons. On accuse le Dauphin, innocent du crime
des Armagnacs qui avaient frappé seuls, pour prévenir
la réconciliation des deux princes. Isabeau, qui accuse
elle-même son fils, se fait enlever par les Bourguignons
de la captivité où la retenaient les Armagnacs à Tours.
Les Bourguignons et la reine se liguent avec les Anglais
maîtres de la moitié du royaume. Elle rentre avec eux
dans Paris, sur les cadavres de deux mille Parisiens
66 immolés à la vengeance de Montereau. Elle donne
sa fille à Henri V, roi d'Angleterre. Les Parisiens
67 ivres de la popularité du nouveau duc de Bourgogne,
proclament, à l'instigation de ce vassal, le roi d'Angleterre régent pendant la vie de Charles VI, et roi de
France après la mort de l'insensé.

Le Dauphin, proscrit par ses oncles et par sa mère,
68 erre de province en province, déclaré coupable d'un
crime qu'il n'a pas commis. Le roi d'Angleterre vient
prendre possession de la régence à Paris. Deux

---

65 *On l'entraîne*, They hurry him on.
66 *immolés*, sacrificed. *Montereau*, the murder at . . .
67 *ivres*, enraptured.
68 *déclaré coupable*, found guilty.

Frances, deux rois, deux régences, deux armées, deux
gouvernements, deux nations, deux noblesses, deux
70 justices sont face à face ; père, fils, mère. oncles,
71 neveux, concitoyens, étrangers, se disputent le droit, le
sol, le trône, les villes, les dépouilles, le sang de la
nation. La mort enlève le roi d'Angleterre à Vincennes ;
Charles VI. le suit au tombeau, père de douze enfants
72 d'Isabeau, et ne léguant le royaume qu'à l'étranger et à
l'anarchie. Le duc de Bedford prend insolemment la
73 régence au nom de l'Angleterre, poursuit la poignée de
nobles qui veulent rester Français avec le Dauphin, les
défait à la bataille de Verneuil, exile la reine, devenue
74 un embarras du règne après avoir été un instrument
d'usurpation ; concentre les armées de l'Angleterre, de
la France et de la Bourgogne autour d'Orléans, dé-
75 fendue par quelques milliers de partisans du Dauphin
et qui contient presque seule ce qui reste du royaume
de France. Les terres sont ravagées sur tout le terri-
76 toire par le flux et le reflux de ces bandes tantôt amies,
77 tantôt ennemies, et qui se chassent comme le flot le flot,

---

70 *justices*, laws.
71 *se disputent le droit*, contend for the rights.
72 *d'Isabeau*, by Isabeau.
73 *au nom*, in the name.
74 *embarras*, encumbrance.
75 *partisans*, followers.
76 *flux et reflux*, the advance and retreat. Literally ebb and tide.
77 *le flot (chasse) le flot*.

78 en saccageant les moissons, en brûlant les villes, en dispersant, pillant, violant, massacrant les populations.
79 Pendant cet évanouissement de la patrie, le jeune Dauphin, tantôt réveillé par les cris du peuple, tantôt assoupi dans les plaisirs de son âge, s'enivrait d'amour pour Agnès Sorel au château de Loches. Cette femme adorée d'un jeune roi sans royaume rougissait pour elle-même et pour lui d'un bonheur sans gloire. Ayant fait venir, une nuit, un devin dans le château
80 pour interroger la fortune sur sa destinée en présence du Dauphin, le devin, pour flatter son cœur ou son ambition, lui prophétisa qu'elle serait un jour l'épouse du plus grand roi de la terre.

81 "S'il doit en être ainsi, dit Agnès Sorel en se levant et en s'adressant au Dauphin, il faut que je sorte et que
82 j'aille de ce pas épouser le roi d'Angleterre; car, en la langueur qui vous enchaîne ici, je vois trop que vous ne serez pas longtemps le roi de France."

83 Le Dauphin versa des larmes de honte, surmonta son amour et reprit la campagne. Seul prince peut-être en qui l'amour ait conseillé le devoir et réveillé la vertu! Ainsi, le roi cherchant en vain ses sujets dans

---

78 *saccageant*, laying waste.
79 *évanouissement*, collapse.
80 *pour interroger*, to consult.
81 *S'il doit en être ainsi*, If it is to be so.
82 *de ce pas*, without delay.
83 *surmonta*, overcame.

son peuple, le peuple cherchant en vain son roi dans la monarchie, le Français cherchant en vain une patrie dans la France : tel était l'état de la nation, quand la
84 Providence lui révéla son salut dans une enfant.

---

84 *salut*, salvation.

VII.

85 Il y avait en ce temps-là à Domremy, village de la
86 haute Lorraine champenoise, sur le penchant boisé des
Vosges, non loin de la petite ville de Vaucouleurs, une
famille dont le nom était d'Arc. Le père de famille
87 était un simple laboureur, mais un laboureur qui
88 cultivait son propre héritage et dont le toit, bâti et pos-
sédé par ses pères, devait appartenir à ses fils. Si l'on
en juge par les mœurs et par les habitudes domestiques
de la famille, il y avait dans cette maison de paysans le
89 loisir et la piété que donne l'aisance, et cette noblesse
90 de cœur et de front qu'on retrouve en ceux qui
cultivent la terre paternelle plus qu'en ceux qui travail-
lent dans l'atelier d'autrui, parce que la possession d'un
91 coin de terre, quelque petit qu'il soit, conserve au paysan
l'indépendance de l'âme en lui faisant sentir qu'il tient

---

85 *Domremy-la-Pucelle or Damremy (Dam-Remigium)*, in the Vosges, on the left bank of the Meuse.

86 *haute*, upper. *penchant*, slopes.

87 *simple*, mere.

88 *qui cultivait son propre héritage*, who tilled his own land.

89 *l'aisance*, easy circumstances

90 *front*, countenance.

91 *coin*, patch.

son pain de Dieu. Le père s'appelait Jacques d'Arc; la mère, Isabelle Romée, surnom qu'on donnait dans ces contrées aux pèlerines qui étaient allées à Rome visiter les pieux tombeaux des martyrs. Ils avaient trois enfants : deux fils, l'un nommé Jacques comme son père, l'autre Pierre, et une fille venue au monde après ses frères et qui portait le nom de Jeanne, bien que sa marraine lui eût donné aussi le nom de Sibylle.

92 Un soc de charrue, armoirie du laboureur, était
grossièrement sculpté sur le linteau de pierre au-dessus
de la porte de la chaumière. Le père et les deux fils
cultivaient les champs; ils soignaient les attelages de
leurs charrues, dans cette contrée où on laboure avec
des chevaux aussi propres à la guerre qu'au sillon. La
mère restait à la maison pour garder le seuil et sur-
93 veiller le foyer. Elle était assez riche pour s'occuper
seulement des soins domestiques et intérieurs, sans
94 tenir elle-même la faucille et se charger du fardeau des
95 gerbes. Elle élevait sa fille dans la même condition de
loisir qu'elle avait elle-même chez son mari. Bien que
Jeanne, dans sa première enfance, jouât et s'égarât au
bord des bois avec les petites filles du village, sa mère
96 ne l'employa jamais comme bergère à garder les

92 *armoirie*, the arms.
93 *foyer*, household.
94 *tenir*. handling.
95 *condition*, degree.
96 *à garder*, to tend.

troupeaux. Elle ne savait ni lire ni écrire, et ne pouvait lui enseigner ce qu'elle ignorait ; mais elle
97 l'entretenait de choses honnêtes et pieuses qu'une mère
98 de famille verse par tradition dans la mémoire de son enfant. Elle lui apprenait à coudre avec cette perfection qui est l'art domestique des jeunes filles depuis l'antiquité. Jeanne était devenue si habile dans ces travaux sédentaires de l'aiguille, qu'aucune matrone de Rouen, dit-elle elle-même, n'aurait pu rien lui re-
99 montrer de plus de ce métier où Rouen excellait alors. Elle filait aussi les toisons ou le chanvre à côté de sa mère. Elle recevait d'elle seule les instructions de l'Église.

" Aucune fille de son âge et de sa condition," dit une de ses compagnes interrogée sur cette enfance, " n'était
100 tenue plus amoureusement dans la maison de ses
101 parents. Que de fois j'allai chez son père ! Jeanne était une fille simple et douce. Elle aimait à aller à l'église et aux saints pèlerinages. Elle s'occupait du ménage comme les autres filles. Elle se confessait

---

97 *l'entretenait*, conversed with her.

98 *verse*, instils.

99 *rien lui remontrer de plus*, taught her no more. *Remontrer* is more generally used with the signification of to show that one's knowledge is superior to another's.

100 *tenue*, taken care of.

101 *Que de fois*, How often.

102 souvent. Elle rougissait de honte honnête quand on
la raillait sur sa piété et sur ce qu'elle aimait trop à
103 prier dans les sanctuaires. Elle était aumônière et
charitable. Elle soignait les enfants malades dans les
chaumières voisines de la maison de sa mère."

Un pauvre laboureur du pays disait à ses juges qu'il
104 se souvenait d'avoir été veillé ainsi par elle quand il
était enfant.

---

102 *honte honnête*, modest shame

103 *aumônière* (obsolete), fond of almsgiving.

104 *veillé*, nursed. *Veiller*, to watch, to sit up. *Veiller quelqu'un*, to sit up by one's bedside.

VIII.

105 "GRACIEUSE de visage, elle croissait leste et forte de
106 ses membres. Dans ces temps où les femmes ne
faisaient route qu'à cheval, elle allait, enfant, avec ses
frères, conduire les poulains de son père dans le préau
du château des Isles où on les enfermait de peur des
gens de guerre. Il est vraisemblable que c'est ainsi
qu'elle se familiarisa avec les destriers, que nulle main
d'homme ne mania plus hardiment depuis. Elle raconte aussi qu'elle allait quelquefois avec les jeunes
filles du village à la lisière des bois qui bordaient les
Champs, sous un grand chêne, qu'on appelait dans le
pays *l'arbre des Fées ;* que sous ce chêne il y avait une
107 fontaine ; que son eau avait la renommée de guérir les
fièvres et les maladies ; qu'elle en avait puisé comme
108 les autres à cette intention ; que les malades, après leur
guérison, avaient l'habitude d'aller s'asseoir et se délas-
ser sous son ombre ; que les fleurs de mai croissaient
autour de la source, et qu'en temps d'été elle les

105 *Gracieuse de visage*, With a comely face.
106 *de ses membres*, of limb.
107 *avait la renommée*, was reputed.
108 *à cette intention*, to use it as such.

cueillait avec ses compagnes, pour en tresser des
109 chapeaux à la statue de la Notre-Dame de Domremy.
La fille de sa marraine lui disait que les fées ou les
dames apparaissaient par aventure en ce lieu et qu'elle-
110 même les avait vues. Quant à Jeanne, elle ne les avait
jamais vues. Mais il est bien vrai que les jeunes
filles suspendaient des chapelets de fleurs aux basses
branches de l'arbre; qu'elle avait fait comme les autres;
que quelquefois ses compagnes emportaient les bou-
quets en s'en allant, que d'autres fois elles les laissaient
sur l'arbre; que, depuis le moment où elle avait conçu
de délivrer la France, elle n'allait presque plus jamais
s'ébattre ainsi sous le chêne des Fées; qu'elle peut y
111 avoir dansé avant son âge de raison avec les enfants, et
surtout chanté, mais qu'elle ne croit pas y avoir dansé
une seule fois depuis; qu'il y avait aussi, en face de la
porte de son père, un autre bois voisin de la maison,
mais qu'il n'y avait pas là d'apparitions; qu'à l'époque
où sa mission lui fut révélée, son père lui avait bien dit,
112 en la grondant, que le bruit courait qu'elle avait pris ses
inspirations sous l'arbre des Fées; qu'elle lui avait répondu que cela n'était pas; qu'un prophète du pays

---

109 *chapeaux*, wreaths.

110 Note the concord of the past participle with its accusative when preceded by it.

111 *avant son âge de raison*, before she had reached the age of discretion.

112 *le bruit courait*, there was a report.

113 disait bien que du bois Chenu sortirait une jeune fille
qui ferait des merveilles, mais qu'à cela même elle
114 n'avait pas donné foi ! . . ."

Elle se complaisait à rappeler dans sa prison ses
souvenirs d'enfance. Elle s'y réconfortait comme d'une
115 fraîcheur de son matin, et elle écrivait ainsi, sans le
savoir, ces années obscures de sa vie dans lesquelles on
116 aime à plonger du regard, pour voir de quelle obscurité
est sortie la gloire et de quelle félicité le martyre.

Un de ces prophètes populaires qui sèment les
117 rumeurs de l'avenir à tout vent, bien sûr que la crédulité naturelle aux âges d'ignorance les recueillera, l'en-
118 chanteur Merlin, fameux dans les poèmes de l'Arioste,
avait écrit que les calamités du royaume viendraient
d'une femme dénaturée ; et que le salut viendrait d'une
jeune et chaste fille. Ce bruit remuait l'imagination
du peuple dans ces provinces et pouvait susciter dans
l'esprit de chaque jeune vierge la pensée involontaire

---

113 *disait bien*, certainly said.

114 *donné foi*, believed.

115 *de son matin*, of the dawn of her life.

116 *plonger du regard*, to scrutinize.

117 *à tout vent*, broadcast.

118 *Merlin*, surnamed *Ambroise l'Enchanteur*, born at Carmarthen in the fifth century, was a celebrated mathematician and scholar. He is made to play an important part as a magician in romances of chivalry. *Ludovico Ariosto*, a celebrated Italian poet (1474-1533). His chief work is "Orlando furioso," an epic poem, of which the hero is Roland, said to have been a nephew of Charlemagne.

de réaliser en elle la prophétie. La beauté méditative
et recueillie de Jeanne, en attirant les yeux des jeunes
119 hommes, intimidait la familiarité. Plusieurs cependant,
120 charmés de sa grâce et de sa modestie, la demandèrent
à ses parents. Elle s'obstinait à rester seule et libre,
on ne sait par quel pressentiment qui lui disait sans
doute qu'elle aurait à enfanter un jour, non une famille,
121 mais un royaume. L'un de ses prétendants, plus passionné, osa réclamer son cœur comme un droit, jurant
122 en justice qu'elle lui avait promis sa foi de mariage.
La pauvre fille honteuse, mais indignée, comparut à
Toul devant les juges et démentit par serment ce calom-
niateur par amour. Les juges reconnurent le subter-
fuge et la renvoyèrent libre à la maison.

---

119 *intimidait*, repelled.

120 *la demandèrent*, asked her in marriage.

121 *prétendants*, suitors.

122 *en justice*, in court. *lui avait promis sa foi de mariage*, had promised to marry him.

IX.

123 PENDANT que sa beauté charmait les yeux, le re-
124 cueillement de sa physionomie, la méditation de ses traits, la solitude et le silence de sa vie étonnaient son père, sa mère et ses frères. Rien des langueurs de l'adolescence ne trahissait en elle son sexe : elle n'en avait que les formes et les attraits. Ni la nature ni le
125 cœur ne parlaient en elle. Son âme, retirée dans ses yeux, semblait plutôt méditer que sentir : pitoyable et tendre cependant, mais pitoyable et tendre d'une pitié
126 et d'une tendresse qui embrassaient quelque chose de plus grand et de plus lointain que son horizon. Elle priait sans cesse, parlait peu, fuyait les compagnies de son âge. Elle se retirait ordinairement à l'écart, pour travailler à l'aiguille, dans une enceinte close, sous une haie derrière la maison, d'où l'on ne voyait que le firmament, la tour de l'église, le lointain des montagnes. Elle semblait écouter en elle des voix que le bruit ex-

---

123 *le . . . . physionomie*, her contemplative countenance.
124 *la . . . traits*, the thoughtful expression of her features.
125 *retirée*, wholly concentrated.
126 *embrassaient*, encompassed.

127 térieur aurait fait taire. Elle avait à peine huit ans,
128 que déjà tous ces signes de l'inspiration s'étaient mani-
festés en elle. Elle ressemblait en cela aux sibylles
antiques, marquées dès l'enfance d'un sceau fatal de
tristesse, de beauté et de solitude parmi les filles des
hommes : instruments d'inspiration réservés pour les
oracles, et à qui tout autre emploi de leur âme était
interdit. Elle aimait tout ce qui souffre, les animaux,
ces intelligences douées d'amour pour nous et privées
de la parole pour nous les communiquer. Elle était,
129 disent ses compagnes, miséricordieuse et douce pour
les oiseaux. Elle les considérait comme des créatures
condamnées par Dieu à vivre à côté de l'homme dans
130 des limbes indécises entre l'âme et la matière, et n'ayant
131 de complet encore dans leur être que la douloureuse
faculté de souffrir et d'aimer. Tout ce qui était mélan-
colique et infini dans les bruits de la nature l'attirait et
l'entraînait.

" Elle se plaisait tellement au son des cloches, dit le
chroniqueur, qu'elle promettait au sonneur des écheveaux
de laine pour la quête d'automne, afin qu'il sonnât plus
132 longtemps les *Angelus*."

---

127 *fait taire*, silenced.
128 *que*, and.
129 *disent*, according to the accounts of.
130 *limbes indécises*, undefined regions.
131 *de complet encore*, nothing complete as yet. *que*, but.
132 *Angelus*, prayer which takes place three times a day.

133 Mais elle s'apitoyait surtout sur le royaume de France
et sur son jeune Dauphin, sans mère, sans pays et sans
couronne. Les récits qu'elle entendait faire tous les
jours par les moines, les soldats, les pèlerins et les
134 mendiants, ces nouvellistes des chaumières en ces
temps-là, remplissaient son cœur de compassion pour
ce gentil prince. Son image s'associait, dans l'esprit de
la jeune fille aux calamités de sa patrie. C'était en lui
qu'elle la voyait périr, en lui qu'elle priait Dieu de la ressus-
citer. Son esprit était sans cesse occupé de cette rêverie
et de cette tristesse. Faut-il s'étonner qu'une telle concen-
tration de pensée dans une pauvre jeune fille ignorante
et simple, ait produit enfin une véritable transposition
de sens en elle et qu'elle ait entendu à ses oreilles les
voix intérieures qui parlaient sans cesse à son âme ?
135 Il y a si près de l'âme aux sens dans notre être, que, si
les sens trompent et troublent l'esprit par leur exaltation et leur désordre, l'esprit de son côté
trompe et trouble facilement les sens. Ces visions et
136 ces auditions merveilleuses, bien qu'elles puissent être
illusions, ne sont pas mensonges pour ceux qui les
137 éprouvent et qui les racontent. Merveilles sincères,

---

133 *s'apitoyait*, mourned.

134 *nouvellistes*, newsmongers.

135 *Il y a si près* . . . . There is such a close connection of the soul with the senses. *être*, nature.

136 *bien qu'*, though.

137 *sincères*, believed in good faith.

elles sont phénomènes, quoiqu'elles ne soient pas prodiges. Il est difficile à l'homme, plus encore à la
femme, lorsqu'ils sont préoccupés jusqu'à la passion
d'une idée ou d'un doute, lorsqu'ils s'interrogent et
qu'ils s'écoutent en dedans, de distinguer entre leur
propre voix et les voix du ciel, et de se dire : "Ceci
est de moi; ceci est de Dieu." Dans cet état,
138 l'homme se rend à lui-même ses propres oracles, et il
prend son inspiration pour divinité. Les plus sages
139 des mortels s'y sont trompés comme les plus faibles
des femmes. L'histoire est pleine de ces prodiges.
140 L'Égérie de Numa, le génie familier de Socrate,
n'étaient que l'inspiration écoutée à la place des dieux
dans leur âme. Comment une pauvre bergère d'un
141 village hanté par les fées, nourrie de ces révélations
populaires par sa mère et par ses compagnes, aurait-elle
142 douté de ce que Socrate et Platon consentaient à

---

138 *se rend* . . . . becomes his own soothsayer.

139 *s'y sont trompés*, have erred in the matter. *Se tromper*, to be mistaken. Observe the concord of the participle of reflective verbs with the accusative as in the case of a participle conjugated with *avoir*.

140 A nymph whom Diana changed into a fountain. Was worshipped by the Romans as the goddess of springs. Numa Pompilius (713 B.C.), to enforce his laws, attributed them to divine revelation through Egeria. Socrates pretended he was attended by a familiar spirit who constantly inspired him, but which was nothing else than his conscience.

141 *nourrie de* . . . *populaires*, these . . . instilled into her.

142 Plato, a celebrated Greek philosopher. Born about 430 B.C. A disciple and devoted friend of Socrates.

croire ? La candeur fut le piège de sa foi ; son inspiration eut les vertiges de son âge, de son sexe, de son époque, de sa crédulité. Elle crut à des voix, à des visions, à des prodiges ; mais l'inspiration elle-même fut la merveille, et le patriotisme triomphant atteste du moins en elle la divinité du sentiment et la vérité du cœur.

X.

ELLE entendit longtemps ces voix avant d'en parler même à sa mère. Un éblouissement de ses yeux les lui faisait présager par une explosion de douce lumière qu'elle se figurait découler du ciel. Tantôt ces voix lui recommandaient la sagesse, la piété, la virginité; tantôt elles l'entretenaient des plaies de la France et des gémissements du pauvre peuple. Un jour, à midi, dans le jardin où elle était seule, sous l'ombre du mur de l'église, elle entendit distinctement une voix mâle qui l'appela par son nom et qui lui dit:

143 "Jeanne, lève-toi; va au secours du Dauphin, rends-lui son royaume de France!"

L'éblouissement fut si céleste, la voix si distincte et la sommation si impérative, qu'elle tomba sur ses genoux et qu'elle répondit en s'excusant:

"Comment le ferais-je, puisque je ne suis qu'une pauvre fille, et que je ne saurais ni chevaucher ni con-
144 duire des hommes d'armes?"

La voix ne se contente pas de ses excuses:

---

143 *lève-toi*, arise.

144 *hommes d'armes*, men at arms, soldiers.

"Tu iras, dit-elle à Jeanne, trouver le seigneur de Baudricourt, capitaine pour le roi à Vaucouleurs, et il te fera conduire au Dauphin. Ne crains rien ; sainte Catherine et sainte Marguerite viendront t'assister."

A cette première vision, qui la fit trembler et pleurer
d'angoisse, mais qu'elle garda encore comme un secret
entre elle et les anges, d'autres succédèrent. Elle vit
145 saint Michel armé de la lance, vêtu de rayons, vainqueur
des monstres, tel qu'il était peint sur le tableau de
l'autel de son hameau. L'archange lui dépeignit
146 les déchirements et les asservissements du royaume.
Il lui demanda compassion pour son pays. Sainte
Marguerite et sainte Catherine, figures divines et populaires dans ces contrées, se montrèrent dans les nues
comme il avait été annoncé. Elles lui parlèrent avec
ces voix de femme adoucies et attendries par l'éternelle
béatitude. Des couronnes étaient sur leurs têtes ; des
147 anges, pareils à des dieux, leur faisaient cortége. C'était
tout le poème du paradis entr'ouvert devant ses yeux
148 Son âme, dans ce divin commerce, oubliait la rigueur
149 de sa mission et s'abîmait dans les délices de ces
contemplations. Quand ces voix se taisaient, quand

---

145 was regarded as the patron saint of France.

146 *déchirements,* commotions. *asservissements,* state of bondage.

147 *leur faisaient cortège,* formed their retinue.

148 *commerce,* intercourse.

149 *s'abîmait,* was enwrapped, gave itself up.

ces figures se retiraient, quand ce ciel se refermait Jeanne se trouvait baignée de pleurs.

“Ah ! que j'aurais voulu, dit-elle elle-même, que ces anges m'eussent emportée avec eux !—”

Mais sa mission terrible ne le voulait pas. Elle ne devait être emportée où elle aspirait que sur les ailes de flamme de son bûcher.

XI.

CES entretiens, ces sommations, ces délices, ces angoisses, ces délais durèrent plusieurs années. Elle avait fini par les confesser à sa mère. Le père et les
150 frères en étaient instruits. La rumeur en courait dans
151 la contrée : sujet de merveille pour les simples, de doute pour les sages, de sarcasme pour les méchants !

En ce même temps, la même idée et les mêmes visions travaillaient, en d'autres pays, d'autres filles et d'autres femmes. Quand le peuple n'espère plus rien des hommes pour son soulagement, il se tourne vers les miracles. Il y avait contagion de merveilles et de ré-
152 vélations. Une femme du Berry, nommée Catherine, voyait des dames blanches, à robes d'or, qui lui ordonnaient "d'aller par les villes demander des subsides et des hommes d'armes pour le Dauphin. Il fallait que
153 le Dauphin lui donnât des écuyers et des trompettes

---

150 *instruits*, apprised.

151 *simples*, simple minded.

152 formerly a central province with Bourges as chief town, comprises the *départements* of the Cher and Indre.

153 *donnât*, observe the use of the subjunctive after falloir que.

pour proclamer partout qu'on lui devait apporter les trésors enfouis et qu'elle saurait bien les découvrir."

Ainsi, quand un miasme est dans l'air, tout le monde le respire. La pitié de la France, la tendresse pour le Dauphin, la haine contre les Bourguignons, l'horreur de la domination étrangère, fanatisaient les femmes. Toutes entendaient le cri de la terre, quelques-unes les voix d'en haut. De plus, les poètes, les romanciers et
154 les conteurs ambulants du moyen âge avaient habitué
les imaginations aux rôles belliqueux joués par des
155 femmes, ainsi qu'on le retrouve dans le Tasse et dans
156 Arioste. Elles suivaient leurs amants aux croisades,
leur servaient de pages ou d'écuyers, revêtaient l'armure, maniaient le coursier, versaient leur sang pour leur Dieu, pour leur patrie, ou pour leur amour. Ces déguisements de la femme sous la cuirasse donnaient aux guerres, même civiles, un caractère de chevalerie et
157 d'aventures touchantes, de merveilleux romanesque qui
faisait songer les enfants et devait produire de fréquentes imitations. Il se rencontre toujours un être d'excep-
158 tion pour réaliser ce qui est imaginé par tous. L'idée

---

154 *conteurs ambulants*, strolling narrators.

155 Torquato Tasso (1544-1595), an Italian poet. Chief work, La Jerusalemme liberata, whose subject is drawn from the history of the Crusades.

156 See page 25, note 118.

157 *merveilleux romanesque*, wondrous romance.

158 *être d'exception*, extraordinary being.

d'une jeune fille conduisant les armées au combat, cou-
ronnant son jeune roi et délivrant son pays, était née
159 de la Bible et du fabliau à la fois. C'était la poésie de
village. Jeanne d'Arc en fit la religion de la patrie.

---

159 *fabliau*, tale in verse.

XII.

160 Son père, homme d'âge et austère, entendit avec
161 peine ces bruits de visions et de merveilles sous son
toit de paysan. Il ne croyait point sa famille digne de
ces faveurs dangereuses du ciel, de ces visites d'anges
et de saintes qui faisaient causer ses voisins. Toute
relation avec les esprits lui était suspecte, à une époque
surtout où la crédulité superstitieuse attribuait tant de
162 choses aux mauvais esprits, et où l'exorcisme et le
bûcher punissaient tout commerce avec le monde in-
visible. Il attribuait ces mélancolies et ces illusions de
sa fille à des désordres de santé. Il désirait la marier,
afin que l'amour d'un époux et des enfants apaisât son
163 âme, et que les distractions de la mère de famille fis-
sent évaporer ces imaginations.

164 Il poussa quelquefois l'incrédulité jusqu'à la rudesse
il dit à Jeanne que, "s'il apprenait qu'elle donnât cré-

---

160 *homme d'âge*, man well advanced in years.

161 *peine*, sorrow.

162 *mauvais*, evil.

163 *distractions*, engrossing occupations. Properly, amusement, acts of absent-mindedness. *La distraction*, absence of mind, diversion.

164 *rudesse*, harshness.

ance à ses prétendus entretiens avec les esprits tentateurs et qu'elle se mêlât aux hommes de guerre, il la voudrait voir noyée par ses frères, ou qu'il la noierait lui-même de ses propres mains."

---

165 *donner créance*, to believe.

XIII.

CE déplaisir de sa mère et ces menaces mêmes de
166 son père n'étouffaient ni les visions ni les voix. Obéis-
sante en toute autre chose, Jeanne désirait obéir même
en ceci; mais l'inspiration était plus obstinée que la
volonté. Le ciel devait être obéi avant les hommes, et
le prodige était pour elle plus impérieux que la nature.
167 Elle gémissait de désobéir, et elle suppliait Dieu de lui
épargner ces efforts qui déchiraient son cœur. Elle
168 espérait bien obtenir plus tard le congé et le pardon de
ses parents, comme, en effet, ils lui pardonnèrent quand
sa gloire eut justifié à leurs yeux sa désobéissance.
L'inspiration est comme le génie : on ne le couronne
qu'après l'avoir combattu.

---

166 *étouffaient*, suppressed.
167 *gémissait de désobéir*, lamented her disobedience.
168 *bien*, certainly, indeed. *congé*, permission.

XIV.

Mais il y avait à côté de Jeanne un homme de son
169 sang, plus simple que son père, ou plus tendre ou plus
170 enthousiaste, dans le sein de qui la pauvre inspirée
trouvait créance ou du moins pitié : c'était son oncle,
171 dont l'histoire aurait dû conserver la figure et le nom,
car il fut le premier croyant à sa nièce et le premier
complice de son génie. Ces seconds pères, dans les
familles, sont souvent plus paternels que les pères véri-
tables, et ils ont plus de faiblesse pour les enfants de la
maison, parce qu'ils se défient moins de leur amour et
qu'ils aiment par choix et non par devoir. Tel paraît
avoir été l'oncle de Jeanne, le père de prédilection, le
172 consolateur, le confident, puis enfin l'intermédiaire
173 séduit par son cœur entre sa nièce et le ciel. Pour
174 soustraire Jeanne aux obsessions et aux reproches de
son père et de ses frères, l'oncle la prit quelque temps

---

169 *un homme de son sang*, a kinsman of hers.
170 *sein*, heart. Literally, bosom.
171 *la figure*, features.
172 *consolateur*, comforter. *intermédiaire*, agent, medium.
173 *séduit*, won over.
174 *Pour soustraire*, to preserve.

chez lui, sous prétexte de soigner sa femme alitée.
Jeanne profita de ce court séjour loin des yeux de ses
175 parents pour obéir à ce qui lui commandait dans l'âme.
176 Elle pria son oncle d'aller à Vaucouleurs, ville de guerre,
177 voisine de Domremy, et de réclamer l'intervention du
sire de Baudricourt, commandant de la ville, pour
qu'elle pût accomplir sa mission.

178 L'oncle, séduit par sa nièce et sans doute poussé par
179 sa femme, se rendit avec simplicité à leurs désirs. Il
180 alla à Vaucouleurs et rendit au sire de Baudricourt le
message dont il s'était complaisamment chargé. L'-
181 homme de guerre écouta avec une indulgente dérision
le paysan : il semblait qu'il n'y eût qu'à sourire, en effet,
de la démence d'une paysanne de dix-sept ans s'offrant à
accomplir pour le Dauphin et pour le royaume ce que
des milliers de chevaliers, de politiques et d'hommes
d'armes ne pouvaient faire par la force du génie et des
bras. " Vous n'avez autre chose à faire, dit Baudricourt
au messager des miracles en le congédiant, que de ren-
182 voyer votre nièce, bien souffletée chez son père."

---

175 *à . . l'âme*, the innermost dictates of her soul.
176 *ville de guerre*, a fortified town.
177 *voisine de*, in the vicinity of.
178 *séduit*, gained over. *poussé*, urged on.
179 *se rendit avec simplicité*, good-naturedly complied with.
180 *rendit*, delivered.
181 *l'homme de guerre*, the soldier.
182 *bien souffletée*, after you have well boxed her ears.

L'oncle revint, convaincu sans doute par l'incrédulité
de Baudricourt et résolu d'enlever pour jamais cette
illusion de l'esprit des femmes. Mais Jeanne avait tant
183 d'empire sur lui, et la conviction la rendait si éloquente,
qu'elle reconquit promptement la foi perdue de son
oncle et qu'elle lui persuada de la mener lui-même à
Vaucouleurs, à l'insu de ses parents. Elle sentait bien
que c'était le pas décisif et qu'une fois hors du village
184 elle n'y rentrerait jamais. Elle fit confidence de son
départ à une jeune fille qu'elle aimait tendrement,
nommée Mangète, et elle pria avec elle en la recommandant à Dieu.

Elle cacha son dessein à celle qu'elle aimait encore
davantage et qui s'appelait Haumette, "craignant, dit-elle,
après, de ne pouvoir vaincre sa douleur de la
quitter si elle lui disait adieu ; elle pleura beaucoup en
185 secret et vainquit ses larmes."

---

183 *empire*, influence.
184 *fit confidence*, acquainted in confidence.
185 *vainquit ses larmes*, conquered her grief.

XV.

Vêtue d'une robe de drap, selon le costume des pay-
sannes de la contrée, Jeanne partit à pied avec son
oncle. Arrivée à Vaucouleurs, elle reçut l'hospitalité
chez la femme d'un charron, cousin de sa mère. Bau-
186 dricourt, vaincu par l'insistance de l'oncle et par l'obsti-
187 nation de la nièce, consentit à la recevoir, non par
188 crédulité mais par lassitude. Il fut ému de la beauté
de cette jeune paysanne, que son chevalier Daulon dé-
peint en ces termes vers cette époque :

189 "Elle était jeune fille, belle et bien formée, dit-il
190 en décrivant chastement jusqu'aux grâces de la
femme."

Baudricourt l'ayant interrogée, Jeanne lui dit avec un accent de fermeté modeste qui prenait son autorité non en elle-même, mais dans ce qui lui avait été inspiré d'en haut :

"Je viens à vous au nom de Dieu, mon Seigneur,

---

186 *insistance*, importunity, entreaties.
187 *par*, through.
188 *par*, out of.
189 *formée*, shaped.
190 *jusqu'aux*, even.

191 afin que vous mandiez au Dauphin de se bien tenir où
il est, de ne point offrir de bataille aux ennemis en ce moment, parce que Dieu lui donnera secours dans la mi-carême. Le royaume, ajouta-t-elle, ne lui appartient pas, mais à Dieu, son Seigneur. Toutefois il lui destine le royaume; malgré les ennemis, il sera roi, et c'est moi qui le mènerai sacrer à Reims!"

Baudricourt, la congédia pour réfléchir, craignant sans doute de trop mépriser ou de trop croire dans un temps où l'incrédulité autant que la croyance pouvait
192 lui être imputée à faute par la voix publique. Il en
193 référa prudemment au clergé, juge en matière surnatu-
194 relle. Il consulta le curé de Vaucouleurs. Ils allèrent
ensemble avec solennité visiter la jeune paysanne chez sa cousine, la femme du charron. Le curé, pour être prêt à toute occurence, avait revêtu ses habits sacerdotaux, armure contre l'esprit tentateur. Il exorcisa
195 Jeanne, au cas où elle serait obsédée d'un démon, et la
196 somma de se retirer si elle était en commerce avec
Satan. Mais les démons de Jeanne n'étaient que sa piété et son génie. Elle subit l'épreuve sans donner aucun scandale au prêtre et à l'homme de guerre. Ils se retirèrent indécis et touchés.

---

191 *mandiez*, send word.
192 *imputée à faute*, laid to his charge as a fault.
193 *Il en référa*, he submitted the case.
194 *curé*, the priest.
195 *obsédée*, possessed.
196 *était en commerce*, carried on an intercourse.

XVI.

LE bruit de cette visite du gouverneur et du prêtre chez la femme du charron étonna et édifia la petite ville. Le peuple de toute condition et les femmes surtout s'y
197 portèrent. La mission de Jeanne devint la foi de quelques-uns et l'entretien de tous. Le bruit avait trop
198 éclaté pour qu'il fût loisible à Baudricourt de l'étouffer.
199 L'opinion l'accusait déjà d'indifférence et de mollesse.

"Négliger un tel secours du ciel, n'était-ce pas trahir le Dauphin et la France?"

200 Un gentilhomme des environs, étant venu voir Jeanne comme les autres, lui dit, en manière d'accusation contre Baudricourt:

201 "Eh bien, ma mie, il faudra donc que le roi soit chassé et que nous devenions Anglais?"

---

197 *s'y portèrent*, made their way there.

198 *Le bruit . . . Baudricourt*, the report was too widespread to allow of Baudricourt.

199 *mollesse*, lack of energy.

200 *gentilhomme*, nobleman.

201 *ma mie*, my dear. Formerly, *m'amie*. In the old French, until the Fourteenth Century, the *a* of ma, ta, sa was elided before a noun beginning with a vowel, thus: *m'âme, t'épée, s'amie*.

Jeanne mêla ses plaintes à celles du gentilhomme et du peuple, mais elle parut moins se lamenter sur elle-même que sur la France ; et, se rassurant sur la promesse qu'elle avait entendue d'en haut :

"Cependant, dit-elle, il faudra bien qu'avant la mi-
202 carême on me conduise au Dauphin, dussé-je, pour y
aller, user mes jambes jusqu'aux genoux. Car personne
au monde, ni rois, ni ducs, ni fille du roi d'Écosse, ne
peuvent reprendre le royaume de France ; et il n'y a
pour lui d'autres secours que moi-même, quoique j'ai-
masse mieux," ajouta-t-elle avec tristesse, "rester à filer
près de ma pauvre mère ! . . . Car je sais bien que
203 batailler n'est pas mon ouvrage ; mais il faut que j'aille
et que je fasse ce qui m'est commandé, car mon Seigneur le veut . . .

On lui demanda :

"Et qui est votre Seigneur ?"

Elle répondit :

"C'est Dieu !"

204 Deux chevaliers présents s'émurent, l'un jeune, l'autre
vieux. Ils lui promirent, sur leur foi, la main dans sa
main, qu'avec l'aide de Dieu ils lui feraient parler au roi.

---

202 *dussé-je,* even if I should. Equivalent to : *s'il fallait que je dusse.*

203 *ouvrage,* calling.

204 *s'émurent,* were moved.

XVII.

PENDANT ces délais qui semblaient commandés par le respect même pour le Dauphin, Baudricourt conduisit
205 Jeanne au duc de Lorraine, de qui il relevait à Vaucouleurs, afin de décharger sa responsabilité et de prendre ses ordres. Le duc vit Jeanne et l'interrogea sur une maladie dont il était en ce moment affligé. Elle ne lui parla que de guérir son âme en se réconcili-
206 ant avec la duchesse dont il était séparé. Baudricourt la ramena à Vaucouleurs.

Pendant le voyage et le séjour de Jeanne chez le duc de Lorraine, le Dauphin lui-même avait été avisé par lettre de la merveille de Domremy. Quelques-uns pensent que Baudricourt avait voulu prendre, avant
207 toute résolution, les ordres du Dauphin et de sa belle-mère, la reine Yolande d'Anjou : le Dauphin, la reine
208 Yolande et le duc de Lorraine devaient se concerter avec Baudricourt pour faire profiter à leur cause

---

205 *Charles I., Comte du Maine*, brother-in-law of Charles VII. *de qui il relevait*, under whose orders he was.

206 *en se réconciliant*, by means of a reconciliation.

207 *toute*, any other.

208 *devaient*, were to

l'apparition d'une jeune, belle et pieuse fille, digne de protection divine pour les peuples, d'enthousiasme pour l'armée, de délivrance pour le royaume. Cette opinion
209 n'a rien que de vraisemblable, et la politique d'une pareille foi n'en exclut pas la sincérité dans un siècle où les cours et les camps partageaient toutes les croyances du peuple. Les préparatifs pour le voyage et pour la réception de Jeanne à la cour, et les respects du Dauphin et de la reine Yolande pour elle à son arrivée, montrèrent assez qu'on attendait le prodige et qu'on
210 désirait le faire éclater.

---

209 *n'a rien que de vraisemblable*, is not at all unlikely.
210 *le faire éclater*, to make it flash forth.

XVIII.

LES habitants de Vaucouleurs achetèrent à Jeanne un cheval du prix de seize francs et des habits d'homme
211 de guerre pour protéger sa personne autant que pour manifester sa mission guerrière. Baudricourt lui
212 donna une épée. Le bruit de son départ pour l'armée s'étant répandu jusqu'à Domrémy, son père, sa mère, ses frères accoururent pour la retenir et la reprendre. Elle pleura avec eux, mais ses larmes,
213 amollissant son cœur, ne purent amollir sa résolution.

Elle partit, en compagnie des deux gentilshommes et de quelques cavaliers de leur suite pour Chinon où était le Dauphin. Son escorte lui fit traverser rapidement les provinces où dominaient les Anglais et les
214 Bourguignons, dans la crainte que leur dépôt ne leur fût enlevé. Indécis d'abord sur la nature des inspirations de la jeune fille, tantôt ils la vénéraient comme une sainte, tantôt ils s'en éloignaient comme d'une sorcière possédée d'un mauvais génie. Quelques-uns

211 *habits d'homme de guerre*, soldiers' clothing.
212 *bruit*, report.
213 *amollissant*, though melting.
214 *dépôt*, charge.

même délibérèrent secrètement s'ils ne s'en déferaient
215 pas en route en la précipitant dans quelque torrent des
montagnes et en attribuant sa disparition à un enlève-
ment du démon. Souvent, près d'exécuter leur complot,
ils furent retenus comme par une main divine. La
jeunesse, la beauté, l'innocence et la sainte candeur de
la jeune fille furent sans doute le charme qui fléchit
216 leur cœur et leurs bras. Partis incrédules, ils arrivè-
rent convaincus.

---

215 *ne s'en déferaient pas en route*, should not get rid of her on the way.

216 *fléchit. . . . bras*, softened their hearts and stayed their hands.

XIX.

217 La cour errante était au château de Chinon, près de
Tours. On y attendait l'inspirée de Vaucouleurs avec
des sentiments divers. Les conseillers réputés les plus
sages déconseillaient le Dauphin d'accueillir et d'écouter
une enfant qui, si elle n'était pas un instrument de
l'ange des ténèbres, était au moins la messagère de sa
218 propre illusion. D'autres, plus crédules ou plus légers,
poussaient le Dauphin à consulter du moins cet oracle.
La reine Yolande et les favorites étaient fières que le
salut vînt d'une femme. Faciles à croire, portées à
219 séduire et à être séduites, elles sentaient que les moyens
humains de relever la cause du roi étaient épuisés et
qu'un ressort surnaturel, vrai ou supposé, pouvait seul
rendre l'enthousiasme avec l'espérance aux soldats et
aux peuples.

"C'était peut-être Dieu qui suscitait ce secours."

---

217 *Chinon* (Indre-et-Loire), the birthplace of Rabelais. Henry II. and Richard I. died there (1189 and 1199).

218 *légers*, thoughtless.

219 *faciles . . . . . séduites*, naturally credulous, prone to delude and to be deluded.

Politique ou crédulité, tout était bon pour une cause vaincue et désespérée.

Le Dauphin flottant, comme la jeunesse, de l'amour à la gloire et des conseils graves aux conseils féminins, était à une de ces crises d'affaissement moral où l'on est enclin à tout croire parce qu'on n'a plus rien à attendre.

XX.

JEANNE arriva à Chinon dans ces circonstances. On la
logea dans le voisinage, au château du sire de Gau
court. Visitée par les dames et par les seigneurs de la
220 suite du roi, sa simplicité ramena les uns, édifia les
221 autres. Les chevaliers qui tenaient pour le roi dans
Orléans avaient trop besoin d'un miracle pour hésiter à
croire à sa mission. Ils envoyèrent quelques-uns des
leurs implorer et encourager leur future libératrice. Le
Dauphin, à leur instigation, consentit enfin à la rece-
222 voir ; mais, dès le premier jour, il voulut l'éprouver.

L'humble paysanne de Domrémy fut introduite, dans son costume de bergère, devant cette cour d'hommes d'armes, de conseillers, de courtisans et de reines. Le Dauphin, vêtu avec une simplicité affecteé et confondu dans les groupes de ses chevaliers richement armés, laissa à dessein la jeune fille dans le doute sur celui d'entre tous qui était son souverain.

" Si Dieu l'inspire véritablement, se dit-il, il la mènera

---

220 *ramena*, won back.
221 *tenaient*, adhered.
222 *éprouver*, to put to the test.

à celui qui a seul dans ses veines le sang royal ; si c'est
223 le démon, il la mènera au plus apparent d'entre mes
hommes d'armes."

Jeanne s'avança en effet, confuse, éblouie, et comme
indécise entre cette foule, mais cherchant d'un regard
timide, parmi tous, le seul vers lequel elle était envoyée.
224 Elle le reconnut sans interroger personne ; et se diri-
geant modestement, mais sans hésitation, vers lui, elle
tomba à genoux devant le jeune roi.

" Ce n'est pas moi qui suis le roi, lui dit le prince, en
225 cherchant à la jeter dans le doute."

Mais Jeanne, que son cœur illuminait, insistant avec
plus de force :

" Par mon Dieu, gentil prince, c'est vous, dit-elle, et
non un autre ! "

Puis, d'une voix plus haute et plus solennelle :

" Très-noble Seigneur Dauphin ! poursuivit Jeanne,
226 le roi des cieux vous mande par moi que vous serez
sacré et couronné dans la ville de Reims, et son lieutenant au royaume de France ! "

227 A ce signe, la cour s'émerveilla et le Dauphin s'émut
d'admiration pour la belle fille. Toutefois il voulut un

---

223 *plus apparent*, most conspicuous.

224 *sans interroger personne*, without inquiring of any one.

225 *jeter dans le doute*, to perplex.

226 *vous mande par moi*, bids me inform you.

227 *s'émut*, was filled.

228 autre signe plus difficile et plus secret ; et, l'entraînant
229 à l'écart de sa cour dans une embrasure de fenêtre, il
s'entretint à voix basse avec elle sur un mystère de son
230 âme qui travaillait sa conscience et qui lui inspirait
secrètement des doutes sur son droit au trône. Ce
mystère n'avait jamais été révélé par lui à personne
Il était de nature à faire rougir sa mère et à détacher
de son front la couronne. La conduite d'Isabeau de
Bavière le laissait incertain s'il était véritablement le
fils de Charles VI. La réponse inspirée de Jeanne
bien qu'elle ne fût pas entendue des assistants, répandit
visiblement la sécurité et la joie sur le visage du Dau-
231 phin. Souvent, et récemment encore, il s'était renfermé
dans son oratoire, priant Dieu avec larmes que, s'il
était en effet le légitime héritier du royaume, la Providence voulût le lui confirmer et défendre son héritage
232 pour lui, ou du moins lui éviter la mort et lui assurer
asile parmi les Espagnols ou les Écossais, ses seuls amis.
233 "Je te dis de la part de Dieu, lui répète Jeanne à
voix plus haute et en le saluant, que tu es vrai fils de
roi et héritier de la France !"

---

228 *signe*, mark.

229 *à l'écart*, out of the hearing.

230 *travaillait*, troubled.

231 *répandit . . . . Dauphin*, lit up the Dauphin's face with an expression of confidence and contentment.

232 *lui éviter la mort*, save him from destruction.

233 *Je te . . . . Dieu*, God bids me tell you.

XXI.

CET entretien avec le roi, la faveur des princesses, les
234 instances des envoyés de l'armée d'Orléans, la rumeur populaire, plus prête à se passionner pour le merveilleux que pour le possible, l'aventure d'un homme
235 d'armes incrédule qui, ayant blasphémé Jeanne sur un pont, fut noyé après dans la Loire ; la politique enfin, qui prolongeait ou qui simulait une foi utile à ses desseins, tout concourait à créer autour de l'étrangère un fanatisme de respect et d'espérance qui faisait du moindre doute une impiété.

236 Le bâtard d'Orléans, le fameux Dunois, l'appelait par
237 des messages réitérés à Orléans, pour retremper l'âme
238 de ses soldats. Le duc d'Alençon, prince chevaleresque et courtois, accourait au bruit du prodige et embrassait, avec la chaleur de la jeunesse et de l'enthousiasme, la cause de l'inspirée. Les courtisans se pressaient autour

---

234 *instances des envoyés*, pressing request of the deputation.

235 *blasphémé*, scoffed at.

236 Dunois, Comte de Longueville (1402-1468), a son of Louis duc d'Orléans, drove the English from Chartres and Paris and defeated them at Formigny in 1450, expelling them from Normandy, and then from Guyenne.

237 *pour retremper l'âme*, to instil new spirit into the hearts.

238 Jean IV., duc d'Alençon (1415-1458) never forsook Jeanne.

d'elle, au château du Coudray. Les uns lui présen-
239 taient des chevaux de bataille ; les autres l'exerçaient à
se tenir en selle, à manier le coursier, à rompre des
lances, tous ravis de la hardiesse, de la grâce et de la
240 force qu'elle montrait dans ces exercices de guerre,
241 comme si l'âme d'un héros se fût trompée d'enveloppe
en animant cette vierge de dix-sept ans de la passion
des armes et de l'intrépidité des combats.

242 Le Dauphin pourtant hésitait encore à condescendre
aux inspirations de la jeune fille, retenu par son chancelier qui craignait la dérision des Anglais, si la France
confiait son épée à une main qui n'avait tenu que la
quenouille. Le chancelier redoutait aussi le clergé,
qui pouvait attribuer au sortilège l'inspiration et s'of-
243 fenser d'une foi qu'il n'aurait pas autorisée dans le
peuple. Le roi jugea sagement qu'il fallait envoyer
préalablement Jeanne à Poitiers, pour la soumettre à
l'examen de l'université et du parlement. Ces deux
oracles du temps, chassés de Paris, siégeaient alors
dans cette province.

244 " Je vois bien, s'écria Jeanne, que j'aurai de rudes
épreuves à Poitiers où l'on me mène ; mais Dieu m'as-
sistera. Allons-y donc avec confiance."

---

239 *chevaux de bataille*, chargers.
240 *de guerre*, warlike.
241 *se . . . . d'enveloppe*, had mistaken its frame.
242 *à condescendre*, to condescend, to take into consideration.
243 *s'offenser*, to take offence.
244 *rudes*, severe.

XXII.

INTERROGÉE avec bonté, mais avec scrupule, par les docteurs, elle les confondit tous par sa foi en elle-même autant que par sa patience et par sa douceur. L'un d'eux lui dit :

" Mais si Dieu a résolu de sauver la France, il n'a pas besoin de gens d'armes.

245 — Eh ! répondit-elle, les gens d'armes batailleront, et Dieu donnera la victoire."

Un autre lui dit :

" Si vous ne donnez point d'autres preuves de vos paroles, le roi ne vous prêtera point de soldats pour les mettre en péril.

246 — Par mon Dieu ! répliqua Jeanne, ce n'est pas à
Poitiers que j'ai été envoyée pour donner des signes ;
247 mais conduisez-moi à Orléans, avec si peu d'hommes
que vous voudrez, et je vous en donnerai. Le signe que je dois donner, c'est de faire lever le siège d'Orléans !"

---

245 *Eh!* why.
246 *signes*, proofs.
247 *si peu*, as few.

Et comme les docteurs lui citaient des textes et
248 des livres qui défendaient de croire légèrement aux révélations :

"Cela est vrai, répondit-elle ; mais il y a plus de choses écrites au livre de Dieu qu'aux livres des hommes."

Enfin les évêques déclarèrent que rien n'était impossible à Dieu et que la Bible était pleine de mystères et d'exemples qui pouvaient autoriser une humble femme à combattre sous des habits d'homme pour la délivrance de son peuple. La reine Yolande de Sicile, belle-mère du Dauphin, et les dames les plus vénérées de la cour, attestèrent la pureté de vie et la virginité de la prophétesse. On n'hésita plus à lui confier l'armée qui devait, sous le duc d'Alençon, son plus zélé croyant,
249 aller secourir Orléans.

---

248 *légèrement*, inconsiderately.
249 *secourir*, to relieve.

XXIII.

250 On lui forgea une armure légère et blanche de coul-
251 eur, en signe de la candeur de l'héroïne. Elle réclama
une longue épée rouillée, marquée de cinq croix, qu'elle
déclara être enfouie dans la chapelle d'une église voisine
de Chinon et qu'on y trouva. On lui remit en main un
étendard blanc aussi, semé de fleurs de lis, fleurs
héraldiques de la France. Elle chevaucha ainsi, suivie
du vieux et brave chevalier Daulon, son protecteur ; de
252 deux jeunes enfants, ses pages ; de deux hérauts d'armes,
d'un chapelain, d'une suite nombreuse de serviteurs, et
d'une foule de peuple qui bénissait d'avance en elle le
253 miracle et le salut. Elle fut reçue triomphalement à
Blois par les chefs de l'armée, rassemblés pour la voir
et pour obéir à ses inspirations divines : le maréchal de
Boussac, Dunois, Lahire, Xaintrailles, tous avertis par
le chancelier de respecter dans cette fille la mission de
Dieu et la volonté du roi. Mais le fanatisme passionné
du peuple pour la vierge guerrière de Domremy

---

250 *forgea*, made.
251 *réclama*, demanded.
252 *jeunes enfants*, youths.
253 *salut*, salvation.

254 imposait à l'armée plus encore que l'ordre du Dauphin.
Servante de Dieu autant que du trône, Jeanne commença par réformer les désordres des mœurs et les
scandales de l'armée. On jeta aux flammes les cartes,
les dés, les instruments de sorcellerie et de jeux de toutes
sortes dans le camp et dans la ville. Des prédicateurs
255 populaires s'attachèrent aux pas de Jeanne, et prêchè-
256 rent les femmes et les soldats. L'un d'eux s'exalta d'un
257 tel fanatisme et remua tellement le peuple en tribun
plutôt qu'en prêtre, que le pape le fit saisir par l'inquisition et brûler vif comme fauteur d'hérésie. Un autre,
le frère Richard, moine de l'ordre des cordeliers, entraînait de telles multitudes par sa parole que des milliers
d'hommes et d'enfants couchaient sur la terre nue,
autour de la tribune, en plein air, la veille de ses prédi-
cations. Le vent de l'esprit soufflait comme une tem-
pête sur les âmes. La religion, le patriotisme et la
guerre agitaient les foules. L'humble Jeanne suivait à
pied, dans les rues de Blois, les prédicateurs. Mais son,
258 humilité même la désignait à la passion de la multitude.
259 Le cordelier couvait de jaloux ombrages contre elle,

---

254 *imposait à*, awed.

255 *s'attachèrent aux pas de Jeanne*, attended Jeanne wherever she went.

256 *prêchèrent*, exhorted.

257 *s'exalta d'un tel fanatisme*, wrought himself up to such a pitch of fanaticism.

258 *la désignait*, made her a fit object for.

259 *couvait de jaloux ombrages*, secretly entertained feelings of jealousy.

260 tout en affectant de partager le fanatisme de l'armée. Tout était préparé dans les choses et dans les esprits pour les miracles, l'envie même, et le supplice après le triomphe.

L'armée, purifiée par les réformes et par la discipline que Jeanne avait introduites, se recrutait de nombreuses compagnies d'hommes d'armes, accourant de toutes les provinces au bruit du prodige. L'étendard de la
261 vierge de Domremy était véritablement l'oriflamme de la France.

---

260 *tout en affectant*, while making an affected show.

261 *oriflamme*, the standard. From *auriflamma*, a red standard, with green silk fringe, at first the banner of the Abbey of Saint-Denis, and adopted by French kings in 1124.

XXIV.

Les chefs, pressés de profiter de cet enthousiasme,
262 ébranlèrent leurs troupes. Jeanne, consultée par eux,
voulait que, sans considération du nombre et de
263 l'assiette des Anglais, on marchât droit à Orléans par la
264 route la plus courte, celle de la Beauce. Les généraux
feignirent d'y consentir, mais ils la trompèrent pour le
salut des troupes et lui firent traverser la Loire pour
s'avancer à l'abri du fleuve par les bois et les marais de
265 la Sologne. Le chapelain de Jeanne marchait en tête
de l'armée, portant sa bannière et chantant des hymnes.
La marche ressemblait à une procession où le prêtre
guide les soldats. Jeanne arriva le troisième jour en
face d'Orléans. En voyant le fleuve entre elle et
l'armée, elle s'indigna d'avoir été trompée par les
266 généraux. Elle voulait qu'on attaquât sur l'heure les

---

262 *ébranlèrent leurs troupes*, set their troops in motion.

263 *assiette*, positions.

264 *Beauce* (Belsia), chief town, formerly Chartres, part of Orléanais, and comprising now the départements of Eure-et-Loir and Loir-et-Cher.

265 *Sologne* (Secolaunia), forms now part of the Cher, Loir-et-Cher, and Loiret.

266 *sur l'heure*, at once.

fortifications des Anglais interposées entre l'armée et la
267 ville. On endormit son impatience.

Dunois, qui avait le commandement général de
268 l'armée de secours et de l'armée d'Orléans, s'élança
269 dans une frêle barque en apercevant la Pucelle du haut
270 des remparts. Quand il eut pris terre au pied de son
cheval :

"Est-ce vous, lui dit-elle, qui êtes le bâtard d' Orléans ?

— Oui, dit Dunois, et bien réjoui de votre venue !"

271 Mais elle, d'une voix de doux reproche :

"C'est donc vous qui avez conseillé de prendre la route éloignée de l'ennemi par la Sologne ?

— C'est le conseil des plus vieux et sages capitaines, dit Dunois.

— Le conseil de Dieu, monseigneur, répliqua Jeanne,
est meilleur que les vôtres. Vous avez cru me tromper,
et vous vous êtes trompés vous-mêmes. Ne craignez
272 rien ; Dieu me fait ma route, et c'est pour cela que je
suis née. Je vous amène le meilleur secours que reçût
jamais chevalier ou cité, le secours de Dieu ! . . . "

En ce moment, le vent qui soulevait les flots de la

---

267 *On endormit,* They soothed.
268 *armée de secours*, relieving army.
269 *Pucelle*, maid.
270 *pris terre*, landed.
271 *voix de doux reproche*, tone of gentle reproof.
272 *me fait ma route*, guides my course.

273 Loire en sens contraire de son cours et qui empêchait les barques chargées de vivres et d'armes d'aborder au port d'Orléans, changea tout à coup comme par miracle, et la ville fut ravitaillée malgré les Anglais.

Le lendemain, ayant congédié l'armée du roi qui n'avait pour mission que d'escorter le convoi jusqu'aux portes et qui devait retourner défendre la plaine, Jeanne entra dans Orléans à la tête de deux cents lances seulement ; elle était suivie du brave chevalier Lahire et de Dunois. Montée sur une haquenée blanche, élevant son étendard dans la main droite, revêtue de sa légère armure qui étincelait aux yeux d'un doux éclat, elle était à la fois, pour les habitants de la ville et pour les soldats, l'ange de la guerre et de la paix. Les prêtres, le peuple, les femmes, les enfants, se précipitaient sous les pieds de son cheval pour toucher seulement ses
274 éperons, croyant qu'une vertu divine émanait de cette envoyée de Dieu. Elle se fit conduire à l'église, où l'on chanta un *Te Deum* de reconnaissance pour la ville secourue. Mais le secours qui réconfortait le plus le peuple était le secours surnaturel qu'il croyait voir et posséder dans la prophétesse.

Jeanne fut conduite de la cathédrale dans la maison de la femme la mieux famée de la ville pour que sa

---

273 *en sens contraire de son cours*, up stream.
274 *vertu*, power.

vertu fût à l'abri des mauvais discours et que sa bonne renommée restât intacte au milieu des camps. On lui avait préparé un festin. Mais elle n'accepta qu'un peu de pain et de vin, en humilité et en mémoire de la table frugale de son père.

---

275 ***fût à l'abri des mauvais discours***, should be protected against slanderous reflections.

XXV.

Elle dicta de là une lettre aux Anglais, qu'elle avait méditée dans la route. Cette lettre était toute semblable, par ses apostrophes et par son accent, aux sommations que les héros d'Homère s'adressaient, avant de combattre, du haut des murs, ou sur le champ de bataille.

276 "Roi d'Angleterre, disait-elle, et vous, duc de Bed-
277 ford, qui vous dites régent de France ; et vous, Guillaume, comte de Suffolk ; Jean Talbot, et vous, Thomas Scales, qui vous prétendez lieutenant du duc de Bedford, obéissez au Roi du ciel, rendez les clefs du royaume à la Pucelle envoyée de Dieu ! Et vous, archers et hommes d'armes qui êtes devant Orléans, allez-vous-en,
278 de par Dieu, en votre pays ! . . . Roi d'Angleterre, si
279 ainsi ne faites, je suis chef de guerre, et, en quelque lieu que je vous atteigne, ainsi moi-même le ferai ! . . . Et croyez fermement que le Roi du ciel enverra plus de

---

276 Henry VI.
277 *qui vous dites*, who represent yourself.
278 *de par Dieu*, in God's name.
279 *chef de guerre*, a chieftain.

280 force à moi que vous ne sauriez en mener dans tous vos assauts."

Elle les conviait ensuite à la paix et leur promettait sûreté et bon accueil s'ils voulaient venir traiter avec elle dans Orléans.

Le rire, la dérision et les railleries cyniques des assiégeants furent la seule réponse à cette lettre de Jeanne. Ils l'appelèrent ribaude et gardeuse de vaches. Ils retinrent déloyalement prisonnier son héraut d'armes. Elle en envoya un second à Talbot, pour lui offrir le combat en champ clos sous les remparts de la ville.

"Si je suis vaincue, disait-elle à Talbot, vous me ferez brûler sur un bûcher ; si je suis victorieuse, vous lèverez le siège."

281 Talbot ne répondit que par le silence du dédain. Il se serait cru déshonoré d'accepter le défi d'une enfant et d'une fille.

---

280 *mener*, bring to bear.
281 *silence du dédain*, contemptuous silence.

XXVI.

282 Jeanne, appelée par respect pour la volonté du roi
et pour la superstition du peuple au conseil des généraux
qui commandaient les troupes, montra la même impatience de combattre et la même confiance dans l'assistance qu'elle portait en elle. Dunois affectait de lui
céder en toute chose, même contre son propre senti-
283 ment, sachant qu'en lui cédant il satisfaisait le peuple
284 et enflammait le soldat. Chef aussi politique que
guerrier, le bâtard, s'il ne croyait qu'à demi aux révéla-
285 tions, croyait à l'enthousiasme. La grâce et la foi de
286 Jeanne le séduisaient lui-même. Il s'entendait merveilleusement avec elle, l'éclairant de ses avis dans les con-
287 seils, s'allumant de son héroïsme dans l'action.

Le sire de Gamaches, vieux soldat, témoin des con-

---

282 *appelée*, summoned.

283 *même . . . . sentiment*, even when in disaccord with his own views.

284 *enflammait le soldat*, filled the soldier with ardour. *politique*, shrewd.

285 *grâce*, piety.

286 *séduisaient*, fascinated. *Il s'entendait . . . lui-même*, he himself agreed wonderfully well.

287 *s'allumant*, getting inspirited.

descendances de Dunois et de Lahire pour les témérités de la jeune fille, s'indigna, dès le premier jour, de ce qu'on préférait les révélations d'une paysanne à l'expérience d'un chef consommé tel que lui.

'Puisqu'on écoute ici, s'écria-t-il, l'avis d'une aventurière de basse condition, de préférence à celui d'un chevalier tel que moi, je ne contesterai point davantage. Ce sera mon épée qui parlera en temps et lieu, et peut-être y périrai-je; mais mon honneur me défend, ainsi
288 que l'intérêt du roi, d'obéir à de telles folies. Je défais ma bannière, et je ne suis plus désormais qu'un simple écuyer. J'aime mieux avoir pour chef un noble homme qu'une fille qui a peut-être été je ne sais quoi!"

Puis, pliant sa bannière, il la remit à Dunois.

289 Jeanne ne respirait que la guerre, et tout retard dans la délivrance du pays par les armes lui semblait un doute de la parole divine et une offense à la foi. Elle monta à cheval le jour même pour escorter un détachement qui allait chercher à Blois des renforts, et au retour, lançant son cheval sur le rempart d'une des forteresses dont les Anglais avaient entouré la ville, puis, élevant la voix pour se faire entendre d'eux, elle les somma d'évacuer les bastilles. Deux chevaliers anglais, Granville et Gladesdale, célèbres par leur bravoure et par le mal qu'ils avaient fait aux gens d'Orléans, lui répondirent

288 *Je défais*, I lower.
289 *ne respirait que*, thought of nothing but.

par des injures et par des mépris, la renvoyant à ses quenouilles et à ses troupeaux.

"Vous mentez, leur répliqua Jeanne. Avant peu, vous sortirez d'ici; beaucoup des vôtres y seront tués, mais vous-mêmes vous ne le verrez pas!"

Leur prophétisant ainsi leur défaite et leur mort.

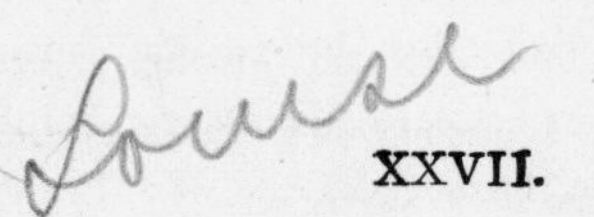

XXVII.

Le second renfort, ramené de Blois par Dunois lui-même, entra, sans avoir été attaqué, dans la ville. Dunois vint remercier Jeanne du bon avis qui l'avait
290 inspiré. Il lui annonça l'arrivée prochaine d'une armée anglaise qui venait compléter le blocus.

"Bâtard ! bâtard ! lui dit Jeanne, je te commande, aussitôt que cette armée paraîtra en campagne, de me le dire ; car si elle se montre sans que je lui livre bataille, je te ferai trancher la tête," ajouta-t-elle pour
291 forme d'enjouement.

Dunois lui promit de l'avertir.

A peu de jours de là, comme elle était sur son lit au milieu du jour, se reposant des fatigues qu'elle avait prises le matin à rétablir l'ordre, la piété et les bonnes mœurs parmi les gens de guerre, un souci surnaturel l'empêcha de dormir. Tout à coup, se levant sur son
292 séant, elle appela son écuyer, le vieux sire de Daulon.

"Armez-moi, lui dit-elle. Le cœur me dit d'aller

---

290 *inspiré*, guided his actions.
291 *pour forme d'enjouement*, playfully.
292 *se levant sur son séant*, sitting up.

combattre les Anglais, mais il ne me dit pas si c'est contre leurs forts ou contre leur armée.'

Pendant que le chevalier lui revêtait son armure, une grande rumeur s'éleva dans les rues. Le
293 peuple croyait que l'on égorgeait les Français aux portes.

"Mon Dieu! dit Jeanne, le sang des Français coule sur la terre! Pourquoi ne m'a-t-on pas éveillée plus tôt? Mes armes! mes armes! Mon cheval! mon cheval!"

294 Et, sans attendre le sire de Daulon encore désarmé lui-même, elle se précipite, demi-vêtue en guerre, hors de la maison. Son petit page jouait comme un enfant sur le seuil.

"Ah! méchant page, qui n'êtes pas venu m'avertir que le sang de la France était répandu! lui dit-elle. Allons vite mon cheval!"

Elle s'élança sur son cheval; et, s'approchant d'une fenêtre haute d'où on lui tendit son étendard, elle partit
295 au galop et courut au bruit, vers les portes de la ville. En y arrivant, elle rencontra un des siens qu'on rapportait blessé et sanglant dans les murs.

"Hélas! dit-elle, je n'ai jamais vu le sang d'un

---

293 ***que . . . . Français,*** that the French were being slaughtered.
294 ***désarmé,*** out of his armour.
295 ***au bruit,*** in the direction of the uproar.

296 Français sans que mes cheveux se dressassent sur ma tête !"

C'était la bastille de Saint-Loup que les chevaliers français avaient tenté de surprendre et que Talbot vainqueur venait de secourir en les chassant jusqu'aux remparts d'Orléans. Jeanne s'élança hors des portes, rallia les vaincus, appela les renforts, refoula Talbot, assaillit la forteresse, fit la garnison prisonnière, et, passant à l'instant de la colère à la pitié, pleura sur les morts et sauva du carnage les vaincus. Inspirée et champion tout à la fois de sa cause, le miracle de son insomnie, de son intelligence, de son bras et de sa pitié éleva au-dessus de tous les doutes la foi de son nom dans les camps de la France et la terreur de son apparition dans les camps de l'Angleterre. Elle voulait épargner le sang même des ennemis. Résolue à une attaque décisive de leurs forteresses, elle monta au sommet d'une tour, et attachant à une flèche la lettre où elle les sommait de se rendre et leur promettait
297 merci, elle banda l'arc et lança le trait dans leur camp. Ils restèrent sourds à cette seconde sommation et lui renvoyèrent par d'autres flèches les plus infâmes répliques. Elle en rougit en les entendant lire, et ne put même s'empêcher de pleurer devant ses gens. Mais

---

296 *sans . . . . . . ma tête*, without my hair standing on end.
297 *merci*, quarter.

298 elle se consola vite, en pensant que Dieu lui rendait plus de justice que les hommes.

299 "Bah! dit-elle en essuyant ses yeux, mon Seigneur sait que ce ne sont que des mensonges."

---

298 *lui rendait*, did her.
299 *bah!* no matter.

XXVIII.

ELLE commanda, de l'avis de Dunois, une sortie et
un assaut général sur les quatre forteresses anglaises
de la rive gauche de la Loire. L'attaque fut repoussée
et les Français mis en fuite. Jeanne contemplait la
bataille du haut d'une petite île au milieu du fleuve, et,
voyant la déroute, elle se jeta dans une frêle barque,
puis, traînant son cheval à la nage par la bride, elle
aborde au milieu de la mêlée. Sa présence, sa voix,
300 son étendard, la divinité que les soldats croyaient voir
301 luire sur son beau visage, les rallie, les retourne, les
302 emporte à sa suite aux palissades; elle subjugue les
forteresses et y met le feu de sa propre main. La
cendre des bastilles anglaises, trempée du sang de leurs
défenseurs, fut le trophée de cette victoire. Jeanne
revint triomphante, blessée au pied par une flèche.
Elle perdait son sang sans vouloir prendre ni boisson
ni nourriture, parce qu'elle avait juré de jeûner ce jour-
là pour le salut de son peuple.

---

300 *la divinité*, the divine light.
301 *croyaient voir luire*, thought they saw shining forth.
302 *subjugue*, carries.

Dunois et ses lieutenants croyaient avoir assez fait de délivrer un des bords du fleuve :

"Non, non, dit Jeanne ; vous avez été à vos conseils,
et moi au mien. Croyez que le conseil de mon Roi et
303 Seigneur prévaudra sur le vôtre. Soyez debout demain
avec l'armée ; j'aurai à faire ce jour-là plus que je n'ai
eu jusqu'à ce jour. Il sortira du sang de mon corps,
je serai blessée !"

En vain les capitaines ferment-ils les portes pour
s'opposer le lendemain à son ardeur. Le peuple et les
304 soldats, fanatisés d'amour et de foi pour elle, se levèrent séditieusement contre eux et menacèrent les
généraux. Les portes furent enfoncées par la multitude, qui s'élança comme un torrent sur les pas de sa
prophétesse. Les chefs furent entraînés par les
soldats. Dunois, Gaucourt, Gonthaut, de Raiz, Lahire,
Xaintrailles, s'élancèrent à l'assaut de la principale
forteresse qui restait aux Anglais. L'armée anglaise,
305 entourée de remparts et de fossés, foudroyait ces
masses. Les échelles, brisées à coups de hache, se
renversaient sur les assaillants. Le pied des fortifications était jonché de morts. Le découragement
saisissait la multitude ; Jeanne seule s'obstinait à sa
foi. Elle saisit une échelle, et, l'appliquant contre le

303 *Soyez debout*, Be up and ready.
304 *fanatisés*, enthralled.
305 *foudroyait*, thundered against.

mur du rempart, elle y monte la première, l'épée dans
la main. Une flèche lui traverse le cou vers l'épaule ;
elle roule inanimée dans le fossé. Les Anglais, pour
306 qui Jeanne serait une victoire, sortent des retranche-
ments pour l'enlever. Gamaches la couvre de sa hache
et de son corps. Les Français reviennent à sa voix et
la délivrent. Elle reprend ses sens et voit Gamaches
blessé et vainqueur pour elle.

"Ah ! dit-elle en se repentant de l'avoir une fois contristé, prenez mon cheval, et sans rançon ! j'avais tort de mal penser de vous, car jamais je ne vis un plus généreux chevalier."

307 On emporta Jeanne à l'abri, pour la désarmer et pour
visiter sa blessure. La flèche sortait de deux largeurs
308 de main derrière l'épaule. Le sang l'inondait. Elle
fut contrainte, comme Clorinde, de livrer les beautés
pudiques de son corps aux regards et à la main des
hommes. Mais la chasteté de son âme et la pureté de
son sang versé pour la patrie l'enveloppaient, dit Daulon,
d'une telle sainteté dans sa nudité même, que nul en
l'admirant, ne concevait l'idée d'une profanation. Plus
ange que femme aux yeux des combattants et du
peuple, la divinité de son rôle la revêtait. Elle était

---

306 *pour qui Jeanne*, for whom the capture of Jeanne.

307 *la désarmer*, to take off her armour.

308 *la flèche . . . . . . l'épaule*, from the rear of the shoulder, protruded a portion of the arrow, in length twice the width of the hand.

femme et faible pourtant, car elle pleura en voyant son sang couler. Puis elle se reconsola, en priant ses célestes protectrices dans le ciel. Elle arracha ensuite la flèche de sa propre main, et répondit aux hommes d'armes qui lui recommandaient des remèdes superstitieux d'enchanteurs et de paroles magiques en usage alors dans les camps :

" J'aimerais mieux mourir que de pécher ainsi contre la volonté de Dieu."

On pansa sa blessure avec de l'huile, et elle remonta à cheval pour suivre à regret l'armée et le peuple découragés, qui se retiraient.

XXIX.

Elle entra, pour prier, dans une grange. Le cœur
309 lui disait encore de combattre, mais elle n'osait tenter
Dieu et résister à l'avis des capitaines.

Cependant sa bannière était restée dans le fossé, au pied de l'échelle d'où Jeanne venait d'être renversée. Daulon, son chevalier, s'en étant aperçu, courut avec quelques hommes d'armes pour reprendre cette dépou-
310 ille qui aurait trop enorgueilli les Anglais. Jeanne y
courut à cheval après eux. Au moment où Daulon remettait dans les mains de sa maîtresse l'étendard, ses plis, agités par le mouvement du cheval et par le vent, se déroulèrent au soleil et parurent aux Français un signal que Jeanne leur faisait pour les rappeler à son secours. Les Français, déjà en retraite, accoururent de nouveau pour sauver leur héroïne. Les Anglais qui la croyaient morte, la revoyant à cheval à la tête des assaillants, la crurent ressuscitée ou invulnérable : la panique s'empara d'eux. Les illusions du feu des canons au milieu des fumées colorées de la poudre leur

309 *lui disait*, urged her.
310 *dépouille*, prize.

firent voir des esprits célestes, divinités tutélaires
311 d'Orléans, à cheval dans les nuées, et combattant de
l'épée de Dieu pour Jeanne et sa cause. Une poutre,
jetée sur le fossé, servit de pont-levis à un intrépide
312 chevalier qui fraya le chemin des remparts à nos
bataillons. Le commandant anglais, Gladesdale, se
repliant devant cette irruption, cherchait à traverser un
313 second fossé pour s'enfermer dans le réduit.

"Rends-toi, Gladesdale ! lui cria Jeanne. Tu m'as vilainement injuriée, mais j'ai pitié de ton âme et de celle des tiens."

A ces mots, le pont-levis sur lequel combattait vaillamment la dernière poignée d'Anglais, brisé par les coups d'une poutre, s'abîme sous les combattants : la Loire recouvre leurs cadavres.

Jeanne, l'armure teinte de sang, entra au bruit des
cloches dans Orléans, fière mais humble, d'une victoire
que l'armée devait toute à elle, mais qu'elle reconnaissait devoir toute à Dieu. L'ivresse du peuple la
314 divinisait. Elle était son salut, sa gloire et sa religion
315 à la fois. Jamais popularité ne confondit mieux le ciel
et la terre dans une figure de vierge, de sainte et de

311 *à cheval*, riding.

312 *fraya*, opened.

313 *le réduit*, the réduit or inner redoubt.

314 *L'ivresse . . . divinisait.* The enraptured people worshipped her as a deity.

315 *confondit*, blended.

316 héros. L'humilité de sa condition la rendait plus chère à cette multitude, parce qu'elle lui était plus semblable. Le salut sortait du chaume, comme à Bethléem.

---

316 *condition*, origin.

XXX.

Les généraux anglais reconnurent le bras de Dieu dans l'irrésistible ascendant de cette héroïne. Ils brûlèrent eux-mêmes le peu de forteresses qui leur restaient dans le pays, et défilèrent en retraite sous les remparts d'Orléans. Les chevaliers français et le peuple voulaient profiter de leur découragement pour les insulter et les anéantir.

317 "Non, dit Jeanne, avec une douce autorité, ne les tuez pas ; il suffit qu'ils partent."

Et, faisant dresser un autel sur les remparts d'Orléans,
318 elle y fit célébrer le sacrifice du pardon et chanter les hymnes de victoire pendant le défilé de ses ennemis.

Orléans délivré, c'était la délivrance du royaume. Cette ville fit de sa libératrice sa divinité tutélaire. Elle
319 lui prépara des statues, n'osant encore lui vouer des autels.

---

317 *avec . . . . autorité,* with a gentle tone of command.

318 *elle . . . . pardon,* she had a service performed as a token of forgiveness.

319 *vouer,* consecrate.

XXXI.

320 Mais Jeanne ne perdit pas de temps à savourer de
vains triomphes. Elle ramena l'armée victorieuse au
321 Dauphin, pour l'aider à reconquérir ville à ville son
empire. Le Dauphin et les reines la reçurent comme
une envoyée de Dieu, qui leur apportait les clefs perdues et retrouvées de leur royaume.

"Je n'ai qu'un an à durer, dit-elle avec une pre-
322 science triste, qui semblait lui révéler son échafaud dans
323 sa victoire ; il me faut donc vite employer.

Elle conjura le Dauphin d'aller se faire couronner immédiatement à Reims, bien que cette ville et les provinces intermédiaires fussent encore au pouvoir des Bourguignons, des Flamands et des Anglais. L'imprudence de ce conseil frappait les conseillers et les généraux de la cour. Le sacre du roi à Reims était, aux yeux de tous, une impossibilité ou une témérité qui pour une vaine ombre de puissance, leur ferait abandonner les fruits de la victoire actuellement dans

---

320 *ne . . . . savourer*, did not waste her time in the enjoyment.

321 *ville à ville*, one town after another.

322 *révéler*, conjure up.

323 *il . . . . employer*, an inversion for *il faut donc vite m'employer*.

leurs mains. On voulait reconquérir auparavant la
Normandie et la capitale. Les conseils succédaient
324 aux conseils. Jeanne se consumait d'ennui et d'inac-
tion à la cour ; ses inspirations l'obsédaient, et à son
tour elle obsédait humblement le Dauphin.

325 Un jour qu'il était enfermé avec un évêque et des
326 confidents pour délibérer sur le parti à suivre, Jeanne
vint doucement frapper à la porte du conseil. Le roi
lui ouvrit, reconnaissant sa voix.

" Noble Dauphin, lui dit-elle,en s'agenouillant devant
lui, ne tenez pas à de si longs conseils ; venez recevoir
327 votre couronne à Reims. On me presse là-haut de
vous y mener.

— Jeanne, dit l'évêque à la jeune fille, comment
votre conseil se fait-il entendre à vous ?

— Oui, Jeanne, ajouta le roi, dites-nous comment ?

328 — Eh bien, dit-elle, je me suis mise en oraison, et
comme je me complaignais en moi-même de votre incrédulité à mon avis, j'ai entendu ma voix qui m'a dit :
'Va, va, ma fille, je serai à ton aide ; va !' Et quand
j'entends cette voix intérieure, je me sens merveilleusement réjouie, et je voudrais qu'elle parlât toujours."

---

324 *se consumait d'ennui*, pined away in dulness.
325 *enfermé*, closeted.
326 *parti*, course.
327 *on . . . . mener*, Heaven bids me take you there without delay.
328 *je . . . . oraison*, I began to pray.

Le Dauphin lui céda, et donna le commandement de l'armée au duc d'Alençon On marcha contre les Anglais, conduits par Suffolk. La masse des ennemis à traverser ébranlait la confiance de la cour et de la poignée d'hommes d'armes qui suivaient Jeanne.

"Ne craignez pas d'attaquer, dit-elle, car c'est Dieu
329 qui conduit notre œuvre. Si ce n'était de cela, n'aimerais-je pas mieux garder mes brebis que de courir de tels périls?"

On la suivit, on traversa Orléans, tout plein encore de sa gloire; on marcha contre Suffolk, qui s'enferma
330 dans Jergeau. L'assaut qu'on y donna fut sanglant.
331 Jeanne y montant, son étendard à la main, fut renversée dans le fossé par une grosse pierre qui brisa son casque sur sa tête. Son acier et ses cheveux de femme la sau-
332 vèrent. Elle se releva des eaux et emporta la ville.
333 Suffolk se rendit à un de ses chevaliers. Elle poussait toujours l'armée en avant.

"Vous avez peur, gentil sire, disait-elle en souriant au duc d'Alençon, qui unissait la prudence au courage;

---

329 *si . . . . cela*, otherwise.

330 *L,assaut . . . . sanglant*, the storming of the town was attended by great bloodshed.

331 *montant*, taking part in it.

332 *se releva*, rose.

333 William de la Poole, Earl of Suffolk, served under Henry V., distinguished himself at the Siege of Rouen in 1418, and was made commander-in-chief of the besieging troops at Orléans in 1429. He was beheaded in 1451.

mais ne craignez rien, j'ai promis de vous ramener sain et sauf à votre femme."

On cherchait une autre armée anglaise, commandée par Talbot dans la Beauce. Séparé de cette armée par une forêt, Lahire, qui menait l'avant-garde, ne savait quel sentier prendre. Un cerf, parti sous les pieds de son cheval, se précipite dans le camp des Anglais et les fait découvrir aux cris que ne peut retenir ce peuple
334 chasseur à la vue du cerf. L'armée française, ainsi miraculeusement guidée, marche à eux. Ils succombent. Leurs chefs les plus redoutés, Talbot, Scales, se rendent et sont traînés captifs avec Suffolk aux pieds du Dauphin. Jeanne, après la victoire, s'émeut de
335 tendresse pour les vaincus désarmés ; elle descend de son cheval, donne la bride à son page, relève les blessés de l'herbe trempée de sang, et les panse de ses propres mains.

336 Le régent, duc de Bedford, tremblait dans Paris.

"Tous nos malheurs, écrivait-il au cardinal de Winchester, sont dus à une jeune magicienne qui a rendu,
337 par ses sortilèges, l'âme aux Français."

Le duc de Bourgogne, rappelé de Flandre par Bedford, revint encourager et défendre Paris avec les Anglais.

---

334 *ce peuple chasseur*, this race of hunters.

335 *Jeanne . . . . tendresse*, Jane's heart is moved with compassion.

336 John Plantagenet, Duke of Bedford, was the third son of Henry IV. and Henry the Fifth's brother. He acted in France as regent in the name of Henry VI.

337 *l'âme*, their courage.

XXXII.

CEPENDANT Jeanne, après cette victoire, était retour
338 née vers le roi : elle l'avait enfin décidé à se rendre à
Reims. On tourna Paris par Auxerre, et on marcha
sur Troyes, capitale de la Champagne. La ville se
rendit à la voix de la libératrice d'Orléans. Jeanne,
en se rapprochant de son pays, excitait à la fois plus
d'enthousiasme et plus d'envie. Sa famille la recon-
339 naissait enfin pour inspirée, après l'avoir pleurée pour
340 folle. Ses frères, appelés par elle dans les camps,
recevaient des honneurs et des armoiries de la cour. Ils
combattaient et triomphaient sous les yeux de leur sœur.

Mais le moine Richard, ce prédicateur jaloux dont
nous avons parlé, lui disputait déjà sa popularité par
des suppositions de sorcellerie, perfidies jetées mécham-
ment dans le peuple. A son entrée à Troyes, il osa
341 s'avancer vers Jeanne et faire des exorcismes et des

---

338 *était retournée vers le roi*, had again joined the king.

339 *la reconnaissait*, acknowledged her.

340 *pleurée pour folle*, bewailed her madness.

341 *exorcismes*, exorcisms or certain adjurations and ceremonies for the expulsion of evil spirits from persons or places ; also a form of prayer used for this end.

signes de croix sur son cheval, comme s'il marchait contre un fantôme de Satan.

"Allons, approchez, dit Jeanne; je ne m'envolerai pas."

Châlons et Reims ouvrirent leurs portes. Le roi fut sacré, et la mission de Jeanne fut accomplie.

"O gentil roi, disait-elle en embrassant ses genoux dans la cathédrale, après qu'elle le vit couronné, maintenant est fait le plaisir de Dieu, qui m'avait ordonné de vous amener en cette cité à Reims pour recevoir votre sacre, maintenant qu'enfin vous êtes roi, et que le royaume de France vous appartient!"

Elle était le *palladium* visible du peuple, dont le roi n'était que le souverain. Les femmes lui faisaient toucher leurs petits enfants comme si elle était une sainte relique. Les soldats baisaient à genoux son étendard, et sanctifiaient leurs armes en les approchant de son épée nue. Elle se refusait modestement et religieusement à ces superstitions et à ces adorations,
342 ne s'attribuant d'autre vertu que l'obéissance aux ordres reçus de Dieu et accomplis par son inspiration.

"Oh! disait-elle, en contemplant l'ivresse de ce roi rendu à son peuple et de ce peuple rendu à son roi, que ne puis-je mourir ici!

---

342 *vertu*, power.

— Et où croyez-vous donc mourir ? lui demanda l'archevêque de Reims.

— Je n'en sais rien, répondit la sainte fille : ce sera où il plaira à Dieu. J'ai fait ce que mon Seigneur m'avait chargé de faire. Je voudrais bien maintenant qu'il lui plût de m'envoyer garder mes moutons, avec ma sœur et ma mère !

Elle commençait à sentir ce doute de l'avenir qui
saisit l'héroïsme, le génie, la vertu même, quand ils ont
achevé la première moitié de toute grande œuvre humaine, la montée et la victoire, et qu'il ne leur reste plus
que la seconde moitié, la descente et le martyre. Elle
commençait à entendre ces voix, non plus du ciel,
343 mais du foyer, qui rappellent en vain l'homme, dé-
couragé de ses ambitions et de ses gloires, au toit de
ses premières tendresses, aux humbles occupations de
son enfance, et à l'obscurité de ses premiers jours.

Pauvre Jeanne, pourquoi n'écouta-t-elle pas ces
344 voix ? . . . Mais Dieu lui destinait un sort achevé.
Il n'y en a point sans l'iniquité des hommes et sans le
martyre pour son pays.

---

343 *foyer*, home. Literally fire-place, hearth.
344 *un sort achevé*, a destiny to be fulfilled.

XXXIII.

Le génie dans l'action est une inspiration du cœur ; mais cette inspiration elle-même a besoin d'être servie par les circonstances. Quand ces circonstances extrêmes, qui produisent en nous cette tension de toutes nos facultés
345 qu'on appelle génie, s'évanouissent ou se détendent,
346 le génie lui-même paraît s'affaisser. Il n'est plus soutenu par ce qui l'élevait au-dessus de l'homme, et c'est alors qu'on dit des héros, des inspirés ou des prophètes : Dieu a cessé de parler en eux.

Telle était l'âme de Jeanne d'Arc après le sacre de Charles VII. à Reims. Aussi un grand abattement et une fatale hésitation paraissent l'avoir saisie dès ce moment. Le roi, le peuple et l'armée, qu'elle avait
347 fait vaincre, voulaient qu'elle restât toujours leur prophétesse, leur guide et leur miracle. Mais elle n'était
348 plus qu'une faible femme égarée dans les cours et dans les camps, elle sentait sa faiblesse sous son armure. Son cœur seul lui restait, toujours intrépide, mais non

---

345 *se détendent*, flag.
346 *s'affaisser*, to collapse.
347 *qu'elle . . . . vaincre*, which she had led to victory.
348 *égarée*, out of her place. *Literally*, gone astray.

plus inspiré. Elle voulait faire parler un oracle qui n'avait plus ni divinité, ni langue, ni voix. On voit cet aveu naïf de l'état de son âme dans ses réponses à ses juges, au moment de son procès.

La France n'avait plus besoin d'elle. Le réveil en
sursaut du Dauphin par sa voix, ce prince jeune et
vaillant arraché par une bergère aux bras de ses
maîtresses, la délivrance miraculeuse d'Orléans, la
défaite de Bedford dans les plaines de la Beauce, la
captivité ou la mort des chevaliers anglais les plus
renommés, le fanatisme religieux et patriotique du
349 peuple allumé par l'apparition, par la voix et par le
bras d'une jeune fille, et prenant partout des exploits
pour des miracles; toutes ces circonstances avaient
350 soufflé l'espérance et le patriotisme sur la surface du
pays, la terreur et l'hésitation dans le cœur des Bourguignons
et des Anglais. Le sol répudiait ou dévorait
les ennemis; ils se sentaient enfin usurpateurs sur le
trône, étrangers dans la patrie. Le sacre de Reims, ce
couronnement réputé divin, qui faisait intervenir la
main de Dieu et le baume céleste pour juger la
légitimité des princes, avait rendu au Dauphin non
plus seulement l'amour, mais la religion du peuple.
En défendant son roi, ce peuple croyait défendre
désormais l'élu du ciel. Jeanne d'Arc avait été bien

---

349 *allumé*, kindled.

350 *soufflé*, had wafted. *Literally*, blown.

inspirée en le menant droit aux autels de Reims. Partout ailleurs, il n'aurait remporté qu'une victoire ou une ville ; à Reims il avait remporté un royaume et une divine autorité. La révolte contre lui devenait blasphème et impiété. Un politique consommé n'aurait pas mieux conseillé que cette ignorante. De plus, comme il arrive toujours dans les revers, la division, la discorde, les rivalités, les récriminations mutuelles s'étaient introduites dans les conseils des Anglais et
351 des Bourguignons. Le duc de Bourgogne, amolli par les prospérités et par les femmes, se contentait de venir de temps en temps de Flandre à Paris, pour étaler, comme Antoine après le meurtre de César, le sang de son père assassiné sous les yeux des Parisiens, et pour recueillir les vaines popularités d'une multitude plus tumultueuse que dévouée. Le duc de Bedford, régent de France pour le roi d'Angleterre Henri VI, et le cardinal de Winchester, souverain de l'Angleterre sous
352 ce roi enfant, se haïssaient et se desservaient mutuelle-
353 ment, en ayant l'apparence de s'entendre et de se soutenir. Le cardinal, alarmé cependant des revers trop honteux de Bedford, amenait à Paris une nouvelle armée. Le duc tremblait dans cette ville. Toutes les villes et toutes les provinces environnantes tombaient

351 *amolli*, enervated.

352 *se desservaient*, did one another ill-turns.

353 *de s'entendre*, while they appeared to agree.

devant les forces croissantes du roi de France, et l'étendard de Jeanne, déployé sous les murs des places assiégées, suffisait pour les ouvrir à Charles. La superstition du peuple croyait voir voltiger autour de cet étendard des étincelles de flamme, rayonnement des puissances célestes qui entouraient l'envoyée de Dieu.

354 Son humilité ne s'exaltait point au sein de ses triomphes, ni sa chasteté ne se ternissait dans les camps.

Chaque soir, disent les chroniques, elle allait prendre son logis dans la maison de la femme la plus honnê-
355 tement famée du lieu, et souvent même couchait dans son lit. Elle passait la nuit ses armes sous la main, et à demi-vêtue de ses habillements d'homme de guerre, afin de mieux protéger sa pudeur.

Elle ne s'enorgueillissait aucunement des honneurs qu'on lui rendait.

"Ce que je fais, disait-elle sans cesse au peuple superstitieux, n'est pas un miracle de moi, mais un
356 ministère qui m'est commandé : c'est pourquoi je suis soutenue. Ne baisez point mes habits ou mes armes comme prodiges, mais comme instruments des grâces de Dieu."

---

354 *Son . . . sein*, she retained her humility in the midst.
355 *la . . . . famée*, with the best reputation.
356 *ministère*, mission.

XXXIV.

Après quelques manœuvres des Français et des Anglais autour de Paris pour en tenter la route ou pour la fer-
357 mer, le roi s'avanca jusqu'à Saint-Denis, et le duc de Bedford se hâta de s'enfermer dans la ville pour la dé-
358 fendre à la fois contre l'assaut du roi et contre la mobilité du peuple.

Le duc du Bourgogne, commençant à pressentir où
359 allait la victoire, et redoutant moins pour sa politique un roi, son parent dans Paris, que la puissance anglaise
360 assise sur les deux rives de la Manche, à côté de ses Flandres, commençait à négocier secrètement avec Charles VII. Jeanne d'Arc, consultée sur ces négociations, les encourageait de tous ses efforts. Les lettres
361 qu'elle dictait pour le duc de Bourgogne ne respiraient que la paix, le pardon réciproque et l'union de tous les membres de la famille française contre l'étranger. Son

---

357 *Saint-Denis* (Dyonysiopolis), close to Paris. In the vaults of its Gothic cathedral are the remains of the Kings of France.

358 *mobilité*, fickleness.

359 *où allait la victoire*, on which side would be the victory.

360 *assise*, resting. *La Manche*, the English Channel.

361 *ne respiraient que*, expressed only a desire for.

cœur, qui savait rendre de si bons secours aux hommes
d'armes, rendait Jeanne de meilleur conseil encore aux
politiques. La sagesse transpire dans chacun de ses
mots. On ne peut révoquer en doute l'influence con-
ciliatrice de ses lettres sur le duc de Bourgogne. Elle
n'excluait même pas les Anglais de sa tolérance et de
362 son désir de paix. Elle n'injurie pas les ennemis du
363 roi, elle les conjure. Sa charité dans les paroles égale
son intrépidité dans le combat.

Elle pressait le roi d'attaquer Paris, prenant son désir
364 pour une lumière et son impatience pour une inspiration. Les généraux résistaient encore. Elle les entraîna,
malgré eux, jusqu'au faubourg de la Chapelle Saint-
Denis. Elle s'y logea avec l'avant-garde commandée
par le duc d'Alençon, par le maréchal Gilles de Retz,
par le maréchal de Boussac, par le comte de Vendôme
et le sire d'Albes. Elle fit camper l'armée dans les
villages en face des portes du nord de la capitale.

Mais le peuple, contenu par l'armée de Bedford, par
365 le parlement et par la bourgeoisie trop compromise
avec les Anglais et les Bourguignons pour ne pas
366 craindre la vengeance du roi, ne s'émut que pour dé-

---

362 *elle n'injurie pas*, she does not abuse. *nuire*, to injure
363 *charité*, forbearance.
364 *lumière*, information.
365 *trop compromise*, who had committed itself too far.
366 *ne s'émut que*, arose only.

fendre les étrangers qui asservissaient la capitale et le trône. L'esprit de sédition, entretenu par Isabeau, les Armagnacs et les factions pendant tant d'années, avait
367 éteint la nationalité dans l'âme de cette ville inconstante. On ferma les portes, on inonda les fossés, on entassa les pavés sur les créneaux, on viola les dépôts publics pour solder les troupes, on répandit le bruit que le roi et sa magicienne avaient juré de faire passer la charrue sur les ruines de la capitale.

Jeanne, informée de ces rumeurs, s'efforçait de les démentir par la discipline qu'elle maintenait dans les troupes du roi. Indignée un jour des scandales donnés
368 par quelques soldats qui voulaient attenter à l'honneur d'une fille des champs, elle frappa un des coupables sur la cuirasse, du plat de son épée, et avec une si sainte colère, que l'épée se brisa en deux tronçons. C'était l'épée miraculeuse qui avait opéré tant de prodiges dans sa main: funeste présage! Le roi la gronda.
369 Jeanne elle-même pleura son épée.

"Mais, disait-elle, elle préférait son étendard blanc et sa petite hache d'armes; car elle ne frappait jamais pour tuer, mais pour vaincre, et le sang d'un ennemi ne souilla jamais ses armes."

---

367 *éteint la nationatité,* stamped out the national spirit
368 *attenter à l'honneur,* to insult.
369 *pleura son épée,* bewailed her loss.

370 Elle s'attribuait à elle-même, prêtresse de la délivrance de sa patrie, cette loi du sacerdoce qui répugne
371 au sang: toujours femme, même au milieu des
guerriers.

Après une semaine d'inutile attente, Jeanne fit donner l'assaut aux remparts, du sommet de cette petite colline couverte aujourd'hui de rues, d'édifices et de temples, qui a gardé le nom de butte des Moulins. Elle franchit, avec le duc d'Alençon et les généraux, le premier fossé sous le feu de la ville. Parvenue au bord du second et exposée presque seule aux traits des remparts, elle sondait la profondeur de l'eau et la vase du bout de sa lance et faisait combler le fossé de fascines par les
372 soldats, tout en agitant sa bannière et en criant à la
ville rebelle de se rendre, quand une flèche lui traversa
la jambe et la jeta évanouie sur un monceau de morts et
de blessés. On la transporta sur le revers de la berge
373 du fossé où les flèches et les feux passaient par-dessus
sa tête, et on l'étendit sur l'herbe pour arracher la flèche
de sa blessure. Elle retrouva la voix et les gestes pour
374 encourager les siens à l'assaut. Les vaillants chevaliers
la suppliaient en vain de se laisser rapporter au camp,

---

370 *Elle s'attribuait à elle-même*, she applied to herself.
371 *qui répugne au sang*, which forbids the shedding of blood.
372 *tout en agitant*, waving the while.
373 *feux*, shots.
374 *les siens*, her people.

les flèches et les boulets labouraient en vain la terre autour d'elle, les fossés se comblaient en vain de cadavres : elle s'obstinait à la victoire ou à la mort. On eût dit que c'était le dernier assaut qu'elle donnait elle-même à sa fortune. Le duc d'Alençon, tremblant de perdre en elle l'âme et la foi de l'armée, fut forcé d'accourir lui-même et de l'enlever dans les bras de ses soldats du champ de carnage où elle voulait mourir. La nuit couvrait les murs de la plaine. Les généraux du roi firent silencieusement retirer les troupes. Pour dérober leurs pertes aux regards des Parisiens quand le jour viendrait, ils relevèrent les morts des bords du fossé, ils les entassèrent, comme dans un bûcher dans la grange de la ferme des Mathurins, et les brûlèrent pendant les ténèbres pour ne laisser que de la cendre aux Anglais.

375 Ce revers, confondant avec tant d'éclat les prophéties
376 de Jeanne d'Arc, fut le premier démenti du ciel à son
esprit devinatoire et la première atteinte au prestige
populaire de son infaillibilité. Elle commença elle-
377 même à douter d'elle-même. Son esprit chancela avec
378 sa fortune. Elle s'humilia devant Dieu et devant le
roi, et, renonçant à la guerre, elle suspendit son armure

---

375 *confondant . . . d'éclat*, so loudly giving the lie to.
376 *démenti*, denial, contradiction.
377 *avec*, together with.
378 *s'humilia*, humbled herself.

blanche et son épée sur le tombeau de Saint-Denis, dans la basilique. Mais le roi et les chevaliers la supplièrent tellement de les reprendre et s'accusèrent tellement eux-mêmes des fautes qui avaient déconcerté ses prophéties, qu'elle eut la faiblesse de les revêtir encore par complaisance pour l'armée, et de continuer à inspirer et à combattre, quand le souffle n'inspirait plus
379 et quand l'esprit ne combattait plus en elle.

---

379 *quand . . . elle*, when she herself was no longer inspired and the spirit within her had disappeared.

XXXV.

L'ARMÉE se dissémina après l'entreprise malheureuse
380 sur Paris; des trêves se conclurent pour donner du
381 temps aux négociations. Jeanne s'en alla en Normandie, pour aider le duc d'Alençon à reconquérir son
382 apanage personnel sur les Anglais. Le sire d'Albret la
383 requit ensuite d'aller guerroyer avec lui à Bourges.
384 Elle fit des prodiges au siège de Saint-Pierre-le-Moutier.
Elle retrouva son génie inspirateur dans la fumée de
l'assaut. Presque seule sur le revers du fossé et abandonnée des siens, elle combattait encore. Son fidèle
écuyer, Daulon, lui criait en vain:

"Que faites-vous, Jeanne? vous êtes seule!

---

380 *se conclurent*, were agreed upon.

381 *aux*, for.

382 Charles II., son of Charles I., sire d'Albret. The latter was a nephew of Charles V., and Constable of France. He opposed the English in Guyenne in 1405, and was killed at Agincourt, 1415, while leading the French troops.

383 Capital of the old province of Berry. Chief town of the département du Cher. Before the Roman invasion, a large and powerful city, the capital of the Bituriges Cubi. It was sacked by Cæsar after a protracted siege (52 B.C.). Charles VII. resided there during the English invasion, which caused him to receive the derisive title of Roi de Bourges.

384 A small town in the département de la Nièvre.

— Non, dit-elle en montrant du geste l'espace vide et le ciel, j'ai cinquante mille hommes ! "

Et, continuant à rappeler les soldats découragés et à leur faire honte de leur découragement devant son audace, elle les ramena aux murs et les escalada victorieusement à leur tête.

385 A la reprise des hostilités entre Charles VII. et les Anglais, elle ramena au roi une armée, sous les murs
386 de Paris. Détrompée des négociations, elle lui dit cette fois "que la paix était au bout de sa lance." Elle rompit plusieurs corps de Bourguignons et d'Anglais, et
387 s'enferma dans Compiègne pour le défendre, comme Orléans, contre le duc de Bourgogne. Le sort des Français y luttait, comme dans un champ clos, contre la fortune des deux armées d'Angleterre et de Flandre. Un homme intrépide et féroce, Guillaume Flavy, commandait la ville. La rumeur des temps l'accusait d'animosité ou de dédain contre l'héroïne populaire des camps.

Jeanne avait promis de sauver la ville. Dans une des premières sorties de la garnison contre les assiégeants, elle combattit avec sa première audace contre les

---

385 *reprise*, renewal.

386 *détrompée des négociations*, being enlightened as to the negotiations.

387 In the Oise. Is celebrated on account of its palace and splendid forest of 15,000 hectares, or about 36,000 acres, and 22 leagues round.

troupes de Montgoméry et le sire de Luxembourg. Deux fois repoussée, elle ramena deux fois la victoire à son étendard. A la fin de la journée, les Anglais et les Bourguignons, réunis et concentrant tous leurs efforts sur la poignée de chevaliers qui l'entouraient, s'attachèrent
388 à elle seule, comme à la seule âme de leurs ennemis et
389 au seul mobile de leur défaite. Cernée et poursuivie au milieu des siens, elle se sacrifia pour sauver ceux qui s'étaient confiés à elle. Pendant qu'ils passaient le pont-levis pour rentrer dans Compiègne, elle resta la dernière exposée aux coups des Anglais et combattant pour le salut de tous. Au moment où, demeurée seule, elle lançait son cheval sur le pont-levis pour s'abriter derrière les murs, le pont se leva et lui ferma le passage. Saisie par ses vêtements et précipitée de son cheval, elle se releva pour combattre encore; mais, entourée et désarmée par la masse croissante de ses ennemis, elle se rendit prisonnière à Lionel, bâtard de Vendôme, et fut conduite au sire de Luxembourg, général du duc de Bourgogne.

Aucune victoire ne valait, aux yeux des Anglais et des Bourguignons, le trophée que le hasard ou la trahison venait de leur livrer. Jeanne était, à leurs yeux, le génie sauveur de la France et de Charles VII. Ils croyaient, en la tenant, tenir son trône.

---

388 *comme à la seule âme*, as being the only strength.

389 *mobile*, instrument.

Le duc de Bourgogne accourut lui-même pour
s'assurer de son triomphe en contemplant sa captive.
390 Il l'entretint en secret dans la chambre où on l'avait
enfermée. Le canon des camps et le *Te Deum* des
cathédrales célébrèrent à l'instant la prise de Jeanne
d'Arc dans toutes les villes et dans toutes les provinces
des alliés. C'était la France elle-même que l'on croyait
conquise dans cette jeune fille. Le peuple, au contraire, pleura et gémit partout sur son sort. On
391 s'entretenait à demi-voix, dans les camps et dans les
392 chaumières, de la prétendue trahison du sire de Flavy,
commandant de Compiègne, qui avait, selon le peuple,
vendu l' héroïne de Dieu au sire de Luxembourg. On
rapportait à l'appui de cette accusation, sans preuves et
sans vraisemblance, les pressentiments et les propos de
Jeanne la veille du dernier combat.

" Hélas ! mes bons amis, mes chers enfants, avait-elle dit à ses hôtes et à ses pages, je vous le dis avec tristesse, il y a un homme qui m'a vendue ; je suis trahie, et bientôt je serai livrée à la mort. Priez Dieu pour moi, car bientôt je ne pourrai plus servir mon roi ni le noble royaume de France !"

Pressentiment ou soupçon qui, dans une fille nourrie
393 de l'Evangile, rappelait ceux de son divin Maître dans

390 *l'entretint*, conversed with her.
391 *à demi-voix*, in an undertone.
392 *prétendue trahison*, alleged treachery.
393 *nourrie de l'Évangile*, full of the Gospel.

la cène funèbre avec ses amis. Faisait-elle allusion au
394 brave Flavy, guerrier trop rude pour flatter les crédulités populaires, mais trop courageux pour trahir ? ou pensait-elle à la jalousie du moine Richard, dont les accusations la poursuivaient ? Nul ne sait sa pensée,
395 mais tous étaient frappés de ses présages.

Sa mère, qui l'était venue voir à Reims et qui s'étonnait de son intrépidité dans les batailles, lui ayant dit un jour :

" Mais, Jeanne, vous n'avez donc peur de rien ? "

" — Non," lui avait-elle répondu ; " je ne crains rien que la trahison ! "

C'est sous la trahison, en effet, que l'héroïsme, la vertu et le génie succombent. Facultés puissantes qu'on ne peut combattre face à face à la lumière, et
396 qu'on prend au piège comme l'aigle et le lion !

On remarquait depuis quelque temps un redoublement de ferveur en elle. Elle entrait le soir dans les églises et chapelles des champs, et s'agenouillait au milieu des enfants à qui on enseignait les mystères. On la surprenait rêvant et priant à l'écart sous l'ombre des plus noirs piliers. Elle avait son agonie des Olives
397 avant d'avoir son supplice comme le Maître qu'elle

---

394 *rude*, rugged.

395 *frappés*, impressed.

396 *qu'on prend au piège*, which can only be ensnared.

397 *Elle . . . . supplice*, she had to undergo her passion before suffering death.

servait. Cette agonie de l'âme et du corps redoubla
d'amertume après sa captivité. Les lois de la guerre
et de la chevalerie, son sexe, son âge, sa beauté, la
douceur et l'humanité qu'elle avait toujours montrées
398 après la victoire, le scrupule même qu'elle avait gardé
de ne jamais verser le sang dans les combats, la pureté
399 de ses mœurs, la naïveté de sa foi, tout devait lui pro-
mettre et lui assurer les sauvegardes, les pitiés, les
respects qu'on devait à un guerrier qui s'était rendu et
à une femme qui faisait l'admiration et le récit des
camps. C'était une infâme félonie pour un chevalier
de livrer ou de vendre à un autre les prisonniers remis
400 à sa merci. L'hospitalité forcée de la prison était aussi
sacrée que celle du foyer. Le sire Lionel de Ligny, à
qui Jeanne s'était rendue, répondait de sa captive
devant l'usage et devant l'honneur. Il ne pouvait,
d'après les lois et coutumes de la guerre, se dessaisir de
Jeanne que contre sa rançon, si la France lui en faisait
une.

401 Mais Ligny dépendait du sire de Luxembourg, en

---

398 *gardé*, observed.

399 *mœurs*, life. Literally, manners, morals.

400 *forcée*, compulsory.

401 *Jean*. The last of the race was the Maréchal de Luxembourg (François Henri de Montmorency-Bouteville, 1628-1695, son of the Comte de Bouteville, beheaded under Louis XIII. for duelling), surnamed le Tapissier de Notre-Dame on account of the number of standards he had taken from the enemy.

qualité de vassal. Il avait intérêt à flatter ce seigneur,
402 de qui relevaient ses domaines. Le plus précieux présent qu'il pût offrir au sire de Luxembourg, allié lui-même du duc de Bourgogne, pour capter sa faveur, c'était le génie tutélaire de Charles VII. Après avoir d'abord envoyé Jeanne, captive, dans un de ses propres châteaux, voisin de la Picardie, il la livra au sire de Luxembourg. Le duc de Bourgogne la marchandait
403 déjà à Luxembourg ; les Anglais, au duc de Bourgogne ; l'inquisition de Paris la revendiquait d'eux tous, pressée de purger la terre de cette victime, dont le patriotisme était le crime aux yeux de cette inquisition, alliée à l'usurpation :

" Usant des droits de notre office," écrivait le vicaire
404 général de l'inquisition aux gens du duc de Bourgogne, " nous requérons instamment et enjoignons, au nom de
405 la foi et sous les peines de droit d'envoyer et amener prisonnière devant nous Jeanne, soupçonnée de crimes, pour être procédé contre elle par la sainte Inquisition."

Ainsi, c'étaient des Français qui demandaient à venger l'Angleterre, l'Église de France qui demandait à sévir contre la liberté de ses propres autels !

---

402 *de qui relevaient ses domaines,* which his estates held of.
403 *la marchandait déjà,* was already bargaining, bartering for her.
404 *gens,* officers.
405 *peines de droit,* penalties enacted by law.

Le sire de Luxembourg, étranger, fut moins cruel que les compatriotes de l'héroïne. Il l'envoya dans son château de Beaurevoir, où les dames de sa famille furent douces et compatissantes pour elle. L'Univer-
406 sité de Paris, scandalisée de ces égards et de ces délais,
407 et lâchement alliée avec l'Inquisition contre l'innocence et le malheur, appuya par des lettres plus impératives et plus ardentes les injonctions du vicaire général de l'Inquisition :

"En vérité," disait l'Université au sire de Luxembourg, "au jugement de tout bon catholique, jamais de mémoire d'homme il ne serait advenu une si grande
408 lésion de la sainte foi, un si énorme péril et dommage pour la chose publique en ce royaume, que si elle échappait par une voie si damnable et sans une convenable punition !"

On voit qu'en tous les temps les haines des hommes paraissent les justices des juges, et que ni les lettres ni les fonctions sacerdotales ne préservent les corps politiques de ces détestables adulations à leur parti.

---

406 Founded in 1200. Thanks to the privileges it obtained, the University became a powerful body, with immense political power, up to the seventeenth century. It is now one of the *Académies* of the University of France.

407 Established in 1204 by Pope Innocent III. to punish heresy. The Inquisition was all-powerful in Spain, where it was not abolished till 1820.

408 *lésion de*, injury to.

Luxembourg résistant encore, l'Université et l'Inquisi-
409 tion suscitèrent l'autorité ecclésiastique dans la per-
410 sonne de l'évêque de Beauvais, homme féroce et
411 fanatique, nommé Cauchon. Il fut le Caïphe de ce
Calvaire. Cauchon, par principe ou par intérêt, était vendu à la cause ennemie jusqu'à l'âme. Il osa signifier au duc de Bourgogne de lui livrer sa prisonnière, et il lui en débattait le prix :

"Bien que cette femme ne doive pas, disait-il dans sa requête, être considérée comme prisonnière de guerre néanmoins, pour récompenser ceux qui l'ont prise et retenue, le roi (c'était le roi anglais des Parisiens) veut bien leur donner six mille francs (somme considérable alors), et au bâtard qui l'a prise une rente de trois cents livres."

Il offrait de plus, pour sûreté du dépôt qu'il demandait, dix mille francs, "comme pour un roi, un prince, un grand de l'État ou un Dauphin."

Le sire de Luxembourg, n'osant résister à la fois au
412 désir secret du duc de Bourgogne, à l'empire des
Anglais dans la coalition, à l'Université, organe de

---

409 *suscitèrent*, brought into play.

410 Chief town of the département de l'Oise. Besieged in 1472 by Charles le Téméraire, Duke of Burgundy, it was successfully defended through the heroism of a young girl, Jeanne Lainé, surnamed afterwards Jeanne Hachette.

411 An able, but corrupt and unscrupulous politician. Was excommunicated by Pope Calixte IV.

412 *l'empire*, superior influence.

413 l'Église, céda à regret à ces influences réunies et remit Jeanne. Crime collectif, où chacun se décharge de sa responsabilité, mais dont Paris a l'accusation, Luxembourg la lâcheté, l'Inquisition l'arrêt, les Anglais la félonie et le supplice, la France la honte et l'ingratitude !

---

413 *remit*, gave up.

XXXVI.

Ce marchandage de Jeanne par ses ennemis, dont les plus acharnés étaient des compatriotes, avait duré six mois. Elle avait été arrachée avec douleur aux soins et aux amitiés des femmes de la maison de Luxembourg, de Beaurevoir transportée à Arras, puis à Rouen où elle arriva enchaînée. Pendant ces six mois l'influence de cet ange de la guerre sur les troupes de Charles VII., son âme qui survivait dans les conseils et dans les camps de ce prince, la superstition patriotique du bas
414 peuple pour elle, superstition que sa captivité n'avait fait que redoubler, l'absence enfin du duc de Bourgogne, lassé de la guerre, enclin à négocier, rassasié de puissance, ivre d'amour et de fêtes, oisif dans ses États de Flandre, toutes ces causes avaient entraîné revers sur revers pour les Anglais, succès sur succès pour Charles VII.

Jeanne, absente, triomphait partout. La haine contre son nom montait à proportion des désastres de leur cause dans le cœur des Anglais, de l'Université et de

---

414 *bas peuple*, lower orders.

l'Inquisition, partisans serviles ou intéressés de cette monarchie de l'étranger. La politique voulait qu'on éteignît ce prestige populaire dans le sang de l'héroïne ; un clergé aveuglé voulait qu'on brûlât la magie avec la magicienne ; la passion voulait de la vengeance ; la peur, de la sécurité. La condamnation et la mort de Jeanne étaient le complot tacite de ces vils instincts du cœur humain. L'évêque de Beauvais pressait le procès. Il s'ouvrit à sa requête. Il y avait une telle impatience de condamner dans les autorités sacrées et laïques, que le clergé de Beauvais autorisa Cauchon à se substituer à l'archevêque de Rouen, dont l'archevêché était alors en interrègne.

Les chevaliers des trois nations, même ceux que leur déloyauté aurait dû faire rougir devant la captivité troquée et livrée par eux, semblaient aussi réjouis d'être affranchis de la présence de Jeanne, que l'Inquisition
414 était elle-même pressée de la sacrifier à leur ressentiment. On raconte que, peu de temps avant la comparution de l'accusée devant ses juges, le sire de Luxembourg dont elle avait été la prisonnière et qui l'avait vendue à
415 sa propre cupidité, traversant Rouen, alla, par un passe-

---

414 *pressée*, eager.

415 *à sa propre cupidité*, to gratify his own covetousness. *Rouen* (Rotomagus), chief town of the Seine Inférieure, with magnificent churches and monuments. It belonged to the English from 1419 to 1449.

temps cruel, se repaître de sa vue dans sa prison : il menait avec lui le comte de Strafford et le comte de Warwick, comme pour leur montrer la terreur des Anglais désarmée et enchaînée.

"Jeanne," lui dit-il, avec une ironie qui tentait sa crédulité pour la tromper, "je suis venu pour te délivrer et pour te mettre à rançon, à condition que tu promettras de ne plus t'armer contre nous."

"—Ah ! mon Dieu !" répondit la prisonnière avec un accent de doux reproche, "vous vous riez de moi. Vous n'en avez ni le pouvoir ni la volonté. Je sais bien que les Anglais me feront mourir, croyant gagner le royaume par ma mort ; mais, fussent-ils cent mille de plus, ils n'auront pas ce royaume !"

Strafford tira sa dague du fourreau, comme pour venger ce défi courageux de la captive à ses geôliers ; Warwick, plus loyal et plus humain, détourna le bras et prévint l'outrage.

XXXVII.

Plus de cent docteurs ecclésiastiques et séculiers a-
vaient été réunis à Rouen pour former le terrible tribunal. On eût dit que les juges pervers ou fanatiques de
cette grande cause avaient voulu se partager l'iniquité
en un plus grand nombre, afin d'en diminuer la responsabilité et l'horreur pour chacun d'eux aux yeux de la
France et de l'avenir. Ces cent juges cependant n'a-
416 vaient autorité que pour informer contre l'accusée et
pour discuter les accusations et les preuves ; l'évêque de
Beauvais et le vicaire de l'inquisiteur général, Jean
417 Lemaître, avaient seuls le droit de prononcer. Ils avaient
prononcé d'avance dans leur cœur. On n'avait rien
épargné pour se procurer des incriminations contre
Jeanne. Des informateurs, envoyés à Domrémy pour
chercher des crimes jusque dans son berceau et pour
souiller sa vie par ces rumeurs populaires qui sont les

---

416 *informer*, to proceed.
417 *prononcer*, to decide.

préludes des grandes calomnies, n'avaient recueilli là
que des témoignages de sa foi, de sa candeur et de sa
vertu. Ses jeunes compagnes d'enfance, fidèles à la
vérité et à l'amitié, avaient parlé d'elle avec compassion
et avec larmes. Les soldats n'en parlaient qu'avec
admiration, le peuple qu'avec reconnaissance. Il avait
fallu chercher dans des sources plus ténébreuses et plus
418 immondes des éléments d'accusation. La plus sacrilège
perfidie les avait ouvertes.

Un prêtre se disant Lorrain et compatriote de Jeanne,
nommé Loiseleur, fut jeté dans sa prison, sous prétexte
d'attachement à Charles VII, afin que la parenté de
419 patrie, la conformité d'opinion et la communauté de
peines ouvrissent le cœur de Jeanne à la confiance et à
la confidence. Pendant que Loiseleur interrogeait sa
compagne de captivité et s'efforçait d'arracher à son
âme des aveux convertis en crimes, l'évêque de Beauvais et le comte de Warwick, cachés derrière une cloison,
assistaient, invisibles, aux entretiens et notaient les
420 épanchements de la plainte. Les tabellions, cachés
aussi avec l'évêque et chargés d'enregistrer ces mystères,
rougirent eux-mêmes de leur office et refusèrent d'écrire
d'aussi infâmes surprises de la conscience. Loiseleur

---

418 *éléments*, heads.
419 *la parenté de patrie*, the tie of a common birthplace.
420 *épanchements*, effusions.

continua son œuvre de perdition sous un autre déguisement. Il s'insinua dans la piété de Jeanne, reçut ses
421 confessions dans le cachot, et, s'entendant avec l'évêque,
422 il conseilla, sous le sceau de Dieu, à sa pénitente tous les aveux qui pouvaient donner prétexte à la condamnation.

Pendant ces préliminaires du procès à Rouen on intimidait les témoins qui auraient pu parler à sa
423 décharge ou à sa gloire. Une femme du peuple de
424 Paris, ayant dit que Jeanne était une fille d'honneur fut brûlée vive.

---

421 *s'entendant avec*, and pursuant to an agreement with.
422 *sous . . . Dieu*, in God's name.
423 *à . . . gloire*, in her defence or to her honour.
424 *d'honneur*, honourable.

XXXVIII.

425 TELLES étaient les dispositions des juges et de l'esprit public à Paris et à Rouen, quand l'évêque fit enfin comparaître l'accusée devant lui, le 21 février. Poursuivie par ses ennemis, elle semblait oubliée de ses amis. Charles VII, victorieux et insouciant de celle qui l'avait fait vaincre, traitait déjà avec le duc de Bourgogne ; il ne paraît pas avoir fait une tentative
426 efficace pour racheter celle qui allait mourir pour lui.

L'évêque, dans la crainte que l'accusée ne fût soustraite un seul moment à la garde des Anglais et enlevée par quelque émotion patriotique du peuple,
427 instruisit le procès dans le château de Rouen, commandé par Warwick, capitaine des gardes du roi Henri VI d'Angleterre. Ce fut dans la chapelle de ce château que Jeanne enchaînée, mais toujours revêtue

---

425 *dispositions*, humour.
426 *racheter*, to purchase the liberty of.
427 *instruisit le procès*, conducted the trial.

de ses habits de guerre, parut devant lui. Le vicaire de l'inquisiteur général, touché d'on ne sait quels scrupules ou de quelle pitié pour la victime, paraît avoir contenu plutôt qu'excité le féroce dévouement de l'évêque, et donné au procès quelques formes d'impartialité et de douceur. L'Église jugeait alors et ne
428 frappait pas de sa propre main. Satisfaite de purger l'hérésie ou le sacrilège par son jugement, elle laissait aux pouvoirs civils l'odieux et l'impopularité de l'exécution. L'inquisition, dans cette cause, paraît avoir été moins avide de condamner Jeanne d'Arc que de la juger. C'était un pouvoir romain. Jeanne, en effet, n'avait offensé que les Anglais dont l'évêque de Beau-
429 vais était le complaisant et le ministre.

L'évêque parla à l'accusée avec mansuétude, comme pour attester une impartialité ou une pitié qui donneraient ensuite plus d'autorité à l'arrêt. Elle se plaignit d'abord doucement du poids et de la pression des anneaux de fer qui blessaient ses membres. L'évêque lui dit que ces fers étaient une précaution qu'on avait été contraint de prendre pour prévenir ses tentatives réitérées d'évasion. La prisonnière avoua qu'au commencement de sa captivité elle avait naturellement désiré de s'enfuir, mais qu'il n'y avait en cela ni

---

428 *de purger*, to deal with.
429 *le . . . ministre*, both the willing and official agent.

430 délcyauté ni crime à elle, puisqu'elle n'avait jamais
431 donné à personne sa foi de ne pas sortir du château.
Le procès ne dit pas si on allégea ses fers.

Après cet épisode, on lui lut son acte d'accusation, moins politique que religieux, dans lequel elle était chargée de crimes contre la foi, d'hérésies et de sortilèges.

Interrogée ensuite sur son âge, elle répondit qu'elle avait dix-neuf ans environ. Sur sa croyance, elle répondit que sa mère lui avait enseigné le *Pater*, l'*Ave* et le *Credo*, les deux prières et la profession de foi des fidèles, et que personne autre que sa mère ne lui avait
432 rien appris de sa religion. On la somma de prononcer
à haute voix ces deux prières et cet acte de foi de son
enfance ; elle craignit apparemment de commettre, en
les récitant en latin devant des docteurs, quelque
433 omission ou quelque erreur dont on ferait un texte
d'hérésie contre elle.

434 "Je les réciterai de bien bon cœur," dit-elle, "pourvu
que monseigneur l'évêque de Beauvais, ici présent,
consente à m'entendre en confession."

Elle ne croyait pas, sans doute, pouvoir mieux con-

---

430 *à elle*, on her part.
431 *foi*, word.
432 *On la somma*, She was ordered.
433 *un texte*, a point.
434 *de bien bon cœur* most willingly.

vaincre le juge de la sincérité et de l'orthodoxie de sa foi qu'en ouvrant son âme au prêtre. La cour, la longue captivité, l'amour de la vie à un âge si tendre, inspiraient à la jeune fille l'habileté ingénue et la prudence instinctive de sa situation. On la ramena, chancelant sous ses fers, dans son cachot.

Le jour suivant, on lui demanda de jurer de dire la vérité sur toute chose dont elle serait requise. Elle
435 réserva les choses qui ne lui appartenaient pas à elle seule, mais à Dieu et au roi.

"Je dirai sur les unes toute la vérité," répondit-elle ; "sur les autres, non."

436 On ne put réprimander cette sagesse, et on poursuivit.

"Vous a-t-on appris un métier ?" lui dit-on.

"— Oui," répondit-elle, "ma mère m'a appris à coudre aussi merveilleusement qu'une femme de la ville."

Elle avoua qu'elle avait une fois quitté furtivement la maison de sa mère, mais que c'était par crainte des bandes de Bourguignons errant dans la contrée ; qu'une femme, nommée la Rousse, l'avait menée au village de Neufchâtel ; qu'elle avait habité quelques jours à peine dans cette famille ; que pendant ce temps
437 elle faisait le petit trafic de domestique ou le ménage

---

435 *Elle réserva*, She excepted.

436 *On . . . sagesse*, No fault could be found with this wise speech.

437 *elle faisait . . . . ménage*, she acted as an ordinary servant maid, or did the housework.

de cette maison, mais qu'elle n'allait point aux champs ni aux bois garder les brebis ou autres bêtes. Elle avoua que, dès l'âge de treize ans, elle avait entendu des voix et avait été éblouie par des lumières dans le jardin de sa mère, du côté de l'église ; que ces voix ne lui avaient donné que de sages conseils ; qu'elles lui avaient ordonné obstinément de venir en France et de faire lever le siège d'Orléans ; qu'elle avait résisté, mais qu'après de longs combats elle avait obtenu de son oncle qu'il la mènerait à Vaucouleurs, où le sire de Baudricourt lui avait dit, en la laissant partir pour Chinon:

« Va, et qu'il en advienne ce qu'il plaira à Dieu ! »

Elle raconta sans vanité comme sans crainte, sa présentation au Dauphin et l'instinct qu'elle avait eu de le reconnaître entre tous. On lui demanda ce qu'elle avait dit en secret au Dauphin ; elle refusa de s'expliquer, de peur de révéler des scrupules du roi sur la légitimité de sa naissance. Interrogée si elle avait vu quelque signe divin ou quelque esprit céleste autour du front du Dauphin :

« Excusez-moi de ne rien répondre sur ceci, » dit-elle.

Et elle rentra dans son cachot pour cette nuit-là.

L'évêque, à l'ouverture de la troisième séance, l'admonesta de nouveau pour qu'elle eût à dire la
438 vérité sur toutes choses, même les choses d'Etat sur
lesquelles elle serait interrogée.

---

438 *choses d'État*, State affairs.

"Monseigneur l'évêque," dit-elle, "réfléchissez bien que vous êtes mon juge et que vous prenez une grande
439 charge devant Dieu, si vous me pressez trop."

Innocente devant l'Église, elle sentait qu'elle serait infailliblement coupable devant les ennemis du roi, et, en écartant les interrogations politiques, elle écartait la mort. L'évêque le savait comme elle ; il la pressa en vain de tomber dans le piége.

"Non," dit-elle, "je dirai tout vrai, mais je ne dirai pas tout !"

440 Ce fut ainsi qu'elle restreignit son serment pour
441 restreindre son danger.

442 On reprit l'interrogatoire, dans l'intention de tirer de la naïveté de la jeune fille des aveux de sorcellerie.

"Vous entendez toujours votre voix intérieure ?"

"— Oui."

— Quand l'avez-vous entendue la dernière fois ?

— Hier, et encore aujourd'hui.

— Que faisiez-vous quand la voix vous parla ?

— Je dormais, et elle m'éveilla.

— Vous êtes-vous mise à genoux pour lui répondre ?

---

439 *charge*, responsibility.
440 *restreignit son serment*, lay restrictions to her declarations on oath.
441 *restreindre*, diminish.
442 *de tirer*, eliciting.

— Non ; je la remerciai seulement de sa consolation, étant assise sur mon lit, et je la priai de me consoler et de m'assister dans ma détresse.

— Vous dit-elle qu'elle vous sauverait du péril où vous êtes ?

— A cela je n'ai rien à répondre."

Les questions de l'évêque la pressant davantage, elle lui répéta de nouveau qu'il courait un grand danger
443 dans son âme en se montrant à la fois son juge et son ennemi.

" Les petits enfants, ajouta-t-elle, disent qu'on pend bien souvent les innocents pour avoir répondu la vérité.

444 — Vous croyez-vous en état de grâce devant Dieu ? lui demanda l'évêque."

Elle réfléchit un peu, puis elle répondit, en femme
445 attentive à la fois à Dieu et aux hommes, ne voulant ni offenser l'un ni scandaliser les autres ;

" Si je n'y suis pas, qu'il plaise à Dieu de m'y rétablir ! si j'y suis, qu'il plaise à Dieu de m'y maintenir ! "

Cette sage réponse déconcerta les accusateurs, et
446 ils dirigèrent l'interrogatoire du côté politique.

---

443 *qu'il . . . . âme*, that he much imperilled his soul.
444 *en état de grâce*, without sin.
445 *attentive*, regardful.
446 *dirigèrent . . . . politique*, began to examine her on political matters.

447 " Les habitants de Domremy tenaient-ils, lui demanda-t-on, pour les Bourguignons ou pour les Armagnacs ?

— Je ne connaissais qu'un homme du parti des Bourguignons."

448 C'était son compère, parrain d'un enfant dont elle était marraine, à qui une fois elle avait dit :

" Si vous n'étiez pas du parti des Bourguignons, je vous dirais bien une chose."

Mais la différence d'opinion lui ferma la bouche et le cœur sur ses visions avec cet homme.

" Alliez-vous avec les petits enfants du village qui
449 se séparaient, par jeu, en camps des Français et des
Anglais pour s'entre-combattre ?

— Je n'ai pas mémoire d'y avoir été ; mais je les ai
450 bien vus quelquefois revenir tout blessés et saignants
de ces batailles.

— Aviez-vous dans votre jeune âge de la haine vive contre les Bourguignons ?

451 — J'avais bien bonne volonté que le Dauphin eût son royaume."

On la congédia pour ce jour-là.

---

447 *Les . . . . tenaient-ils . . . pour*, Were the . . . . in favour of.
448 *compère*, relation which a godfather bears to the godmother.
449 *par jeu*, in play.
450 *bien*, certainly.
451 *J'avais . . . . volonté*, I ardently wished.

Elle comparaît de nouveau le 27 février. Son angoisse était telle, qu'elle troublait la pensée de ses juges eux-mêmes.

"Comment, lui demanda un des assesseurs, vous êtes-vous portée depuis le samedi?

— Du mieux que j'ai pu, répondit Jeanne.

452 — Avez-vous observé les jours de jeûne!

— Cela est-il dans votre procès?" dit-elle en s'étonnant.

Et comme on répondit que cela y était:

"Oui, dit-elle, j'ai toujours jeûné les jours d'abstinence."

On revint à ses apparitions pour en inférer quelque magie. Elle raconta avec la même candeur de foi les visites de saint Michel, de sainte Marguerite, de sainte Catherine, noms qu'elle avait donnés dans son enfance à ces visiteurs inconnus de son âme. Et comme on insistait pour savoir d'elle tout ce que ces esprits de diverses formes lui inspiraient:

"Il y a, dit-elle sévèrement, des révélations qui
453 s'adressent au roi de France, et non à ceux qui osent interroger!

— Ces esprits étaient-ils nus quand ils vous visitaient? lui dit-on.

---

452 *Avez-vous observé*, Did you keep.

453 *s'adressent*, concern, *s'adresser*, properly to apply to.

— Pensez-vous donc, répliqua-t-elle, que le Roi des cieux n'a pas de quoi les revêtir de sa lumière ?

— Voulez-vous nous dire le signe que vous avez donné au Dauphin pour lui faire connaître que vous venez de la part de Dieu ?

— Je vous ai déjà dit que ce qui touche le roi, je ne le dirai jamais ; allez le lui demander à lui-même."

Le jour suivant, on lui demanda si ses révélations lui avaient prédit qu'elle échapperait à la mort.

454 " Cela ne touche point au procès, dit-elle. Voulez-vous donc que je parle contre moi-même ? Je m'en fie à Dieu qui en fera à son plaisir.

— N'avez-vous point demandé des habits d'homme à la reine, quand vous lui avez été présentée ?

Cela est vrai.

— Ne vous a-t-on jamais invitée à dépouiller vos habits d'homme de guerre, et à reprendre vos habillements de femme ?

— Oui vraiment, et j'ai toujours répondu que je ne changerais mes habits que par l'ordre de Dieu. La fille du sire de Luxembourg, qui conjurait son père de ne pas me livrer aux Anglais, m'en pria, ainsi que la dame de Beaurevoir, quand j'étais prisonnière dans leur château. Elles m'offrirent habits de femme ou drap pour les faire. Je répondis que je n'en avais pas

---

454 *Cela . . . . au*, That has nothing to do with the.

encore congé de Dieu et que le temps n'en était pas
455 venu. Si j'eusse cru pouvoir le faire innocemment, je l'aurais plutôt fait pour ces deux bonnes dames que pour complaire à aucunes dames qui soient en France excepté la reine."

On sentait que les égards et les compassions des femmes de la maison de Luxembourg l'avaient touchée d'une reconnaissance qu'elle se plaisait à leur témoigner jusque devant la mort.

"N'avez-vous point fait faire image de votre ressem-
456 blance? Ne disait-on pas prière et oraison dans les camps et dans les villes en votre nom?

— Si ceux de notre cause ont prié en mon nom, je l'ignore, et ils ne l'ont point fait de mon consentement. S'ils ont prié pour moi, il me semble qu'à cela il n'y avait point de mal. Beaucoup de gens me voyaient, il est vrai, avec joie, et, se pressant autour de moi, baisaient mes habits, mes armes, mon étendard, et ce qu'ils pouvaient atteindre de moi; c'était parceque les pauvres m'approchaient avec confiance que je ne leur faisais ni déplaisir ni affront, mais que je les soulageais et les préservais autant que je le pouvais des maux de la guerre. Les femmes et les filles faisaient toucher

---

455 Note the use of the imperfect subjunctive as more elegant than the conditional or imperfect indicative used as conditional.

456 *N'avez . . . ressemblance,* Have you not had your portrait painted?

leurs anneaux à l'anneau de mon doigt, mais je ne connaissais point en elles de mauvaises intentions à ceci. Pendant que j'étais à Reims, à Château-Thierry, à Lagny, il est vrai que plusieurs me requéraient d'être marraine de leurs enfants et que j'y consentais. Mais
457 je ne fis jamais de miracles. L'enfant que l'on me pria de tenir à Lagny avait trois jours ; les jeunes filles l'apportèrent à Notre-Dame, pour la prier de lui donner la vie. J'allai avec elles prier à son autel. Finalement, l'enfant donna signe de vie, remua les lèvres, fut baptisé, puis mourut aussitôt.

— Le roi ne vous donna-t-il pas écu, armes et trésors, pour son service ?

— Je n'eus ni écu, ni armes ; mais le roi en donna à mes frères. Quant à moi, je n'eus de lui que mes chevaux, cinq de bataille et sept de route, et l'argent pour payer mes hôtes."

458 On revint sur le signe qu'elle avait donné au Dauphin, et on lui demanda de le décrire. Mais elle, par-
459 lant en double sens et faisant allusion à ce signe qui n'était autre que le royaume de France :

"Aucun, dit-elle, ne pourrait en décrire la richesse. Quant à vous, ajouta-t-elle avec un dédaigneux enjouement qui attestait la liberté de son esprit, le signe qu'il

---

457 *fis*, worked.
458 *On revint*, They reverted.
459 *parlant . . . . sens*, giving a double sense to her words.

vous faut, c'est que Dieu me délivre de vos mains, et c'est le plus éclatant qu'il vous puisse envoyer!"

Elle avoua, dans les séances suivantes, que son père avait eu un songe pendant qu'elle était enfant, dans lequel songe il avait vu avec terreur sa fille Jeanne guerroyant avec les gens d'armes. Requise de parler
460 de ses révélations, elle trancha d'un mot les pièges et répondit que tout ce qu'elle avait fait de bien, elle l'avait fait par ses propres inspirations. On lui demanda s'il n'y avait aucun signe magique sur un anneau qu'elle portait au doigt, et pourquoi elle regardait cet anneau avec piété au moment des batailles.

"C'est, dit-elle, qu'il y avait gravé sur le laiton le nom de Jésus, et parce qu'aussi cet anneau lui rappelant avec *plaisance* son père et sa mère, elle aimait à le sentir en sa main et à son doigt.

— Pourquoi, lui dit-on, fîtes-vous porter votre
461 étendard en la cathédrale de Reims, au sacre du roi?

— Il avait été à la peine, répondit Jeanne en animant

---

460 *elle .... pièges*, she, with one word, baffled the endeavour to entrap her.

461 *Reims*, or Rheims (civitas Remorum), in the Marne. All the sovereigns of France, from Philippe Auguste (1180-1223) to Charles X. 17-7-1836), with the exception of Henry IV., Napoleon I., and Louis XVIII., were anointed there.

462 à son cœur le signe inanimé ; c'était bien juste qu'il fût au triomphe !"

Tentée d'abord dans sa simplicité, puis dans son patriotisme, il restait à la tenter dans sa conscience. La tentation sur ce point était sûre de vaincre. L'université, l'Inquisition, le pouvoir épiscopal représenté par
463 l'évêque de Noyon, étaient du parti de la royauté anglaise, des Bourguignons et des Parisiens. Contester l'obéissance à ce parti leur semblait être la refuser à l'Église. On lui demande de reconnaître en tout l'autorité de cette Église. Elle ne peut ni consentir à renier sa cause politique, ni refuser son consentement sans se déclarer rebelle à la foi.

"Je m'en remets à mon juge," répond-elle avec une sublime inspiration d'habileté qui transporte plus haut le jugement pour confondre les juges humains. Elle ne sort plus de cette réponse, qu'elle oppose sept fois, dans les mêmes termes, à toutes les ruses de l'accusation.

"Enfin, lui dit-on avec impatience, voulez-vous ou non vous soumettre au pape ?

— Conduisez-moi à lui, répond-elle, et je lui répondrai à lui-même."

---

462 *Il . . . . inanimé.* It had shared my dangers, replied Jeanne, ascribing, in the kindness of her heart, life to the inanimate token.

463 *Noyon,* in the Oise, in the old province of Picardie. Calvin's birthplace.

Tout le reste de ce jour elle se tait. Torturée dans sa conscience, elle s'avoue à elle-même son angoisse dans cette prière qu'elle adresse au ciel pour qu'il la délivre de la tentation :

"Très-doux Dieu, dit-elle à son Seigneur, je vous requiers par votre Passion, si vous m'aimez, de me révéler ce que je dois répondre à ces gens d'Église. Je sais bien, quant à la vie, ce que je dois faire; mais
464 quant au reste, je n'entends pas le commandement de mes guides."

Ses angoisses, plus terribles que les fers de son cachot et que la présence de la mort, la jetèrent dans une maladie qui interrompit les interrogatoires publics. Mais l'évêque et ses assesseurs allèrent l'obséder jusqu'au pied du pilier où elle languissait enchaînée de corps, malade de fièvre, troublée d'esprit. On lui
465 demanda si elle se soumettait de cœur à un concile. Elle ignorait ce qu'était un concile. On lui expliqua que c'était une assemblée générale de l'Église. Elle dit alors qu'elle s'y soumettait. Cette profession d'obéissance la sauvait. Le tabellion, présent, l'écrivit. L'évêque s'en aperçut et, voulant à tout prix livrer sa proie aux partis dont il était l'organe :

"Taisez-vous donc, de par Dieu ! cria-t-il au docteur

---

464 *je n'entends pas,* I do not understand.
465 *de cœur,* sincerely.

qui avait adressé la question et obtenu la réponse."

Puis, se tournant vers le tabellion, il lui défendit d'écrire ce qui absolvait l'accusée.

" Hélas ! dit Jeanne en regardant pitoyablement l'évêque, vous écrivez ce qui est contre moi, et vous ne voulez pas écrire ce qui est pour ! "

Warwick, informé par l'évêque, rencontra le soir le docteur inhabile ou miséricordieux, l'apostropha avec
466 colère, l'accusa de souffler cette scélérate et le menaça de le faire jeter à la Seine. Les docteurs, tremblants, se sauvèrent de Rouen, et la prison de Jeanne se referma pour tous, même pour Cauchon. La soif de son
467 supplice était si ardente, que le parti anglais tremblait que la maladie ne l'enlevât aux bourreaux.

" Pour rien au monde, disait le gardien de la tour, le roi ne voudrait qu'elle mourût de mort naturelle. Il l'a achetée assez cher pour qu'elle soit brûlée. Qu'on la guérisse au plus vite ! "

L'évêque cependant s'introduisit de nouveau dans sa prison et lui exposa le danger de son âme, si elle mourait sans adopter le sentiment de l'Église.

" Il me semble, répondit-elle, que vu la maladie que j'ai, je suis en grand péril de mort ; s'il en doit être ainsi, que Dieu fasse à son plaisir de moi ! Je voudrais

---

466 *de souffler*, of prompting.
467 *La . . . . supplice*, The thirsting after her execution.

seulement avoir confession de mes péchés, et terre sainte après ma mort."

On lui demanda s'il fallait faire prières et procession pour obtenir sa guérison.

"Oui, dit-elle; j'aimerais bien que les bonnes âmes priassent pour moi."

On revint sur l'accusation de suicide qu'on lui avait imputée au sujet d'une tentative désespérée d'évasion qu'elle avait faite pendant sa première captivité au château de Beaurevoir. Elle avoua que l'horreur de se sentir captive et désarmée pendant que son roi et les Français combattaient et versaient leur sang, avait égaré son âme; qu'elle s'était précipitée du haut des créneaux dans le fossé, au risque d'y perdre la vie; que, tombée de si haut et évanouie de sa chute, elle avait été reprise, et qu'en recouvrant ses sens elle avait senti sa faute et demandé pardon à Dieu. Sa jeunesse la sauva d'une mort pour une autre mort. Les forces lui revinrent. Les injures, les outrages, la joie et les chants de ses geôliers lui annonçaient le jugement prochain et la condamnation certaine. Elle gardait avec vigilance ses vêtements d'homme de guerre. L'évêque lui faisait un crime de ce costume qui rappelait ses exploits. Il mettait au prix de ce changement d'habits la
468 permission qu'elle sollicitait de prier du moins avec

468 *Il mettait . . . . permission,* the price he set on the permission . . . . was this changing of clothes.

469 les fidèles et d'assister au sacrifice du dimanche. Elle y consentit, à condition que les vêtements de femme qu'elle revêtirait seraient semblables à ceux des filles pudiques des bourgeoises de Rouen : une robe longue et serrée à la taille, dont les plis l'envelopperaient avec décence contre les outrages de ses profanateurs.

Pendant la semaine sainte et le jour de la résurrection du Christ, où toute la chrétienté s'associait à l'agonie de l'Homme-Dieu et à la joie de sa résurrection, Jeanne sentit plus douloureusement sa solitude et sa séparation du troupeau des âmes. Le son des cloches joyeuses de Pâques résonna dans son cœur, comme une ironie qui contrastait avec son isolement et sa tristesse.

Cependant l'Université de Paris, consultée sur les procès-verbaux de ses interrogatoires, l'avait déclarée possédée de Satan, impie envers sa famille, altérée du sang des fidèles. Les légistes, consultés de même,
470 avaient restreint sa culpabilité au cas où elle s'obstinerait dans ses erreurs. L'inquisiteur et l'évêque de Beauvais lui-même, intimidés au dernier moment par la clameur populaire qui commençait à s'apitoyer sur

---

469 *sacrifice*, mass.
470 *restreint*, limited the extent of.

cette innocente, semblaient s'adoucir et se contenter de la condamnation, du repentir et de la captivité, au lieu de la mort. Ils firent une suprême tentative pour arracher une apparence de désaveu de son obstination à la victime, pensant ainsi satisfaire à la fois le peuple par l'indulgence, les Anglais par la punition. On
471 arracha Jeanne, toute malade et affaiblie de corps, aux ténèbres de son pilier où elle languissait depuis quatre mois, pour la torturer en public dans son âme. On avait dressé deux échafauds dans le cimetière de Saint-Ouen, derrière la basilique de ce nom. Le cardinal de Winchester, représentant le pouvoir royal des Anglais en France; Cauchon représentant la servilité ambitieuse vendant son pays pour des honneurs; les juges, le clergé, les docteurs, les assesseurs, les prédicateurs de l'Université, représentant la légalité au service de la force, étaient assis sur un de ces échafauds. Jeanne, les chaînes aux pieds et aux mains, attachée à un poteau par une ceinture de fer, entourée de tabellions prêts à enregistrer ses paroles et de ministres de la torture, armés de leurs instruments de douleurs, prêts à lui arracher les faiblesses ou les cris de la nature, le bourreau avec sa charrette sous ses

---

471 *toute*, quite. When used adverbially, as in this case, *tout* agrees nevertheless, for reasons of euphony, with the feminine adjective beginning with a consonant or h aspirate.

yeux, prêt à emporter son cadavre mutilé, étaient en face sur l'autre échafaud. Un peuple immense, superstitieux, frappé de cet appareil, partagé entre le respect pour les autorités civiles et religieuses, la crainte de l'étranger, l'horreur de cette prétendue magicienne et la pitié pour cette jeune fille dont la beauté éclatait plus touchante sous l'ombre de la mort, frémissait sur la place et sur les toits. Un prédicateur célèbre du temps, Guillaume Erard, apostrophait Jeanne et s'efforçait de la ramener à un désaveu de ses erreurs et à la soumission complète à ce que l'Eglise déciderait des
472 droits des deux compétiteurs.

"O noble maison de France," s'écriait-il, croyant renforcer ainsi ses arguments par une invocation pathétique à la race des Valois, "ô noble maison de France, qui fus toujours protectrice de la foi, comment as-tu été si pervertie que de t'attacher à une hérétique schismatique? Oui, c'est de toi, Jeanne, que je parle, ajouta-t-il en la foudroyant du geste; c'est à toi que je dis que ton roi est schismatique et hérétique!"

Jeanne, qui jusque-là avait écouté en silence et en

---

472 *des droits*, concerning the rights. The rivals alluded to were Henry VI. of England (claiming the crown as heir of Henry V., who had acquired it by his marriage with the daughter of Charles VI.) and Charles VII., the legitimate heir.

humilité les injures qui ne tombaient que sur sa tête, ne put contenir son cœur en entendant outrager son Dauphin :

"Par ma foi ! sire, s'écria-t-elle en interrompant le prédicateur, je jure qu'il est le plus noble chrétien de tous les chrétiens, celui qui aime le mieux la foi et l'Église, et qu'il n'est rien de ce que vous dites !

—Faites-la taire, cria l'évêque de Beauvais."

Les huissiers lui imposèrent silence. Alors l'évêque lui lut un modèle de rétractation à laquelle on la conjurait de se conformer.

473 Je veux bien me soumettre au pape, dit Jeanne.

—Le pape est trop loin, dit l'évêque.

—Eh bien, qu'elle soit brûlée ! cria le prédicateur."

Les huissiers, les bourreaux, le peuple, qui l'entouraient la conjuraient de signer un acte dressé de soumission à l'Église, qui n'était qu'une rétraction de ses ignorances devant Dieu, sans rien désavouer de sa cause et de ses sentiments devant les hommes.

"Eh bien ! je signerai, dit-elle."

A ces mots, une grande clameur de soulagement s'éleva de la foule. L'évêque de Beauvais demanda à Winchester ce qu'il devait faire :

---

473 *Je veux bien*, I am willing, I consent to.

"Il faut, dit l'Anglais, l'admettre à la pénitence."

C'était lui octroyer la vie. Pendant que les courtisans de Winchester se querellaient avec l'évêque de Beauvais sur l'échafaud, prétendant qu'il avait favorisé l'accusée et pendant que l'évêque les démentait avec colère un secrétaire s'approcha de Jeanne et lui présenta la plume pour signer la rétractation qu'elle ne pouvait lire. La pauvre fille rougit et sourit à sa propre ignorance, en roulant gauchement la plume dans ses
474 doigts qui maniaient si bien l'épée. Elle traça sous la direction de l'huissier, un rond et au milieu une croix, signature symbolique de son martyre. Puis on lui lut sa sentence de grâce, qui la condamnait à passer le reste de sa vie en prison, pour y déplorer ses péchés, au *pain de douleur* et à l'*eau d'angoisse.* A ces mots, les partisans du règne anglais et les soldats de cette cause, trompés dans leur espoir de vengeance par une sentence qui leur paraissait une lâcheté, du moment qu'elle n'était pas la mort, murmurèrent, s'agitèrent, s'ameutèrent tumultueusement autour du tribunal; et, ramassant les pierres et les ossements du cimetière, les lancèrent sur l'échafaud contre le cardinal, l'évêque, les juges et les docteurs.

"Misérables prêtres fainéants, vous trahissez le roi!"

---

474 *maniaient si bien,* knew so well how to handle.

Mais les juges, pour échapper à cette grêle de pierres et pour traverser en sûreté la foule, disaient aux plus furieux :

"Soyez tranquilles, nous la retrouverons bien d'une autre façon."

La haine de ce peuple qu'elle aimait tant étonnait Jeanne plus que la mort.

Elle rentra au château, poursuivie par les vociférations de la multitude. Elle y retrouva les fers, les pièges et les outrages de ses ennemis.

475 "Les affaires de notre roi tournent mal, dit le commandant du château, Warwick ; la fille ne sera pas brûlée !"

On lui enleva pendant son sommeil ses habits de femme, qu'elle avait revêtus en signe d'obéissance sur l'échafaud, et on la contraignit ainsi à reprendre ses habits d'homme, qui étaient à côté de son lit. A peine eut-elle revêtu par nécessité ce costume dont on faisait le signe de son crime et de son obstination, qu'on appela l'évêque pour la surprendre en récidive. L'évêque la gourmanda rudement sur sa rechute après son abjuration. Elle protesta qu'elle n'avait rien abjuré que ses péchés, et qu'elle aimait mieux mourir que de vivre ainsi rivée aux piliers de son
476 cachot. L'évêque de Beauvais, convaincu de la passion

---

475 *tournent mal*, look bad.
476 *passion*, ardent wish.

de son parti pour le supplice de cette fille dont l'existence rappelait des défaites aux Anglais et des crimes aux Bourguignons, renonça à la disputer à Warwick. Il convainquit les sages et les docteurs de la nécessité de punir cette impénitente par la mort. Les ecclésiastiques la livrèrent à la justice civile, chargée de l'application et de l'exécution de leur sentence, dont, comme Pilate,
477 ils se lavaient les mains. Cette sentence la conduisait au bûcher.

Un confesseur envoyé par l'évêque pénétra dans sa prison et lui annonça le prochain supplice.

"Hélas ! hélas ! s'écria-t-elle en étendant ses bras autant que les chaînes lui permettaient de les ouvrir et en renversant sa tête échevelée, faut-il me traiter si horriblement et si cruellement, que mon corps net et pur, qui ne fut jamais souillé d'aucune tache ni corrup-
478 tion, soit tout à l'heure consumé et réduit en cendres ! Ah ! j'aimerais mieux être décapitée sept fois que d'être brûlée ! Ah ! j'en appelle à Dieu, le grand juge, des injustices et des tortures qu'on me fait endurer !"

L'âme se rattachait au corps au moment de le perdre dans le feu, la vie luttait avec la foi, la femme reparais-

---

477 Note the use of the definite article instead of the possessive adjective when the possession is already denoted by a personal pronoun, as in this case, or by the context.

478 *tout à l'heure*, presently.

sait dans le soldat. On lui accorda comme dernière faveur la communion des mourants dans son cachot. L'évêque assistait parmi les gens du château à ce se-
479 cours des bourreaux de son âme. Elle l'aperçut et lui
480 dit avec un doux reproche :

"Évêque, je meurs par vous !"

Elle reconnut aussi parmi les assistants un prédicateur qui lui avait fait des admonitions pendant le procès, et avec lequel elle avait contracté cette familiarité du prisonnier envers ceux qui les visitent :

"Ah ! maître Pierre, lui dit-elle toute en larmes, où serai-je ce soir ?"

On lui rendit les habillements de femme pour le supplice. On l'y conduisit sur une charrette, entre son confesseur et un huissier. Un moine charitable la suivit à pied, priant pour son âme et représentant la dernière pitié au pied de l'échafaud. Il se nommait Isambart : l'histoire doit son nom à tous ceux qui savent aimer jusqu'à la mort. Le fourbe Loiseleur, employé par l'évêque pour arracher à Jeanne ses secrets sous le semblant de la confession, monta avant le départ sur la charrette pour obtenir de sa victime le pardon de sa trahison. Les Anglais eux-mêmes s'ameutèrent à la vue de ce traître et le couvrirent de huées et de

---

479 *bourreaux*, tormentors.
480 *doux*, gentle.

menaces : versatilité naturelle aux foules, qui veulent
481 bien frapper, mais non trahir !

"O Rouen, Rouen ! disait-elle en se lamentant, c'est donc ici que je dois mourir ?"

Elle s'étonnait que le ciel la laissât mourir si jeune avant qu'elle eût fini son œuvre et que la France tout
482 entière fût purgée par elle de ses oppresseurs ; elle attendait incertaine un miracle ou la mort jusqu'au pied du bûcher.

---

481 *qui . . . . frapper*, who are willing to strike.
482 *purgée*, cleared.

XXXIX.

L'ÉVÊQUE, l'inquisiteur, l'Université, les docteurs, l'attendaient, sur une estrade en face d'un monticule de plâtre, recouvert de bois sec préparé pour le sacrifice humain. Quand le char fut arrivé au pied de l'estrade :

"Va en paix, Jeanne, lui dit, au nom des juges, le prédicateur ; l'Église ne peut plus te défendre, elle t'abandonne au bras séculier !"

483 Excuse cruelle de ceux qui avaient prononcé le crime et qui ne laissaient à d'autres que l'œuvre matérielle de la mort !

Jeanne alors s'agenouilla sur le char, non pour demander grâce de la vie aux juges qui la condamnaient mais pour demander la grâce du paradis à l'évêque et aux prêtres qui la jetaient au feu. Elle joignit les mains, inclina la tête, et, s'adressant avec une naïve et pathétique ardeur tantôt à ses divins protecteurs dans le ciel, tantôt à ses bourreaux assis au-dessous d'elle

---

483 *prononcé le crime*, ordered this judicial murder.

sous l'échafaud, elle invoqua leur assistance, leur compassion et leurs prières avec un accent si tendre et avec des sanglots de femme si entremêlés de déchirantes exclamations, qu'à la vue de cette jeunesse, de cette innocence, de cette beauté près de tomber en cendres, et à l'accent de cette plainte qui semblait sortir déjà de la flamme, les docteurs, les inquisiteurs, les huissiers, Winchester, l'évêque de Beauvais lui-même, fondirent en larmes, et qu'un certain nombre d'entre eux, ne pou-
484 vant soutenir cette figure et cette voix et se sentant évanouir de compassion, descendirent de l'échafaud et se perdirent dans la foule.

485 La mourante se confessa alors à haute voix des erreurs d'esprit ou des présomptions de cœur qu'elle avait pu avoir de bonne foi pendant sa mission sur la terre. Elle regretta peut-être d'avoir trop obéi à la voix intérieure en forçant à la conduire à Vaucouleurs, au lieu d'obéir à la voix de sa mère et au génie obscur et tutélaire du foyer. Elle vit de quel prix était l'héroïsme et la gloire, et la maison et le verger de son père lui apparurent en contraste avec le bûcher de Rouen. Se repentit-elle de son dévouement à une inspiration glorieuse et à une patrie ingrate? Les chroniques ne le disent pas; mais ses pleurs, ses

484 *soutenir*, bear the sight of.
485 *à haute voix*, audibly.

lamentations, son acceptation de cœur et sa révolte
486 des sens contre le supplice le laissent conclure. Elle
fut plus touchante que si elle était restée impassible;
487 elle fut mortelle, elle fut femme, et elle fut enfant devant le feu. La nature, la volonté et la mort, qui
avaient lutté dans son Seigneur lui-même au jardin des
Olives, luttèrent dans la jeune fille au pied du bûcher.
La multitude assista au déchirement d'un corps et
488 d'une âme. Ce cirque stupide et féroce eut le spect-
489 acle complet d'une agonie.

490 A la fin, Jeanne sentit le besoin de se raffermir par
la vue du symbole du suprême sacrifice accepté par le
Fils de l'homme. Elle implora la grâce de mourir du
moins en embrassant une croix, signe de dernière communion avec l'Église qui la répudiait. On fut longtemps sourd à cette prière. Un Anglais cependant lui
tendit deux branches de bois avec leur écorce, liées
transversalement par un nœud de corde et formant
491 l'image grossière de la croix. Elle la prit, la baisa, et,
ouvrant sa chemise, elle la serra contre sa poitrine,

---

486 *le laissent conclure*, seem to point in that direction; literally permit one to come to that conclusion.

487 *elle fut mortelle*, she showed human weakness.

488 *cirque*, audience. An allusion to the Roman circus.

489 *agonie*, death throes.

490 *raffermir*, to strengthen herself.

491 *grossière*, rough.

comme pour faire pénétrer de plus près dans son
cœur la vertu de ce symbole. Le moine Isambart,
492 attentif à ses moindres gestes, et qui vit son désir si
mal satisfait, osa prendre sur lui un acte de généreuse
audace, au risque de paraître impie dans sa compassion.
493 Il courut avec l'huissier à une église voisine de la
place du Marché, et prenant la croix de la paroisse à
côté de l'autel, il la remit aux mains de Jeanne : véritable Simon de ce supplice !

Les bourreaux firent marcher la jeune fille vers le bûcher. Son confesseur y monta avec elle, en murmurant à son oreille de pieux encouragements. Son sang-froid ne l'avait pas abandonnée dans son désespoir. Le bourreau ayant mis le feu aux branches inférieures du bûcher, où elle était liée à un poteau :

"Jésus ! s'écria-t-elle, retirez-vous, mon père ! Et quand la flamme m'enveloppera, élevez la croix pour que je la voie en mourant, et dites-moi de saintes paroles jusqu'à la fin."

L'évêque de Beauvais, comme pour obtenir une
494 suprême justification de son jugement par quelque
accusation de la mourante contre elle-même, à l'approche des flammes, s'approcha encore du bûcher.

---

492 *attentif*, watchful.
493 *l'huissier massier*, the mace-bearer.
494 *quelque . . . . elle-même*, the self-accusing . . . .

"Évêque, évêque, lui répéta seulement la pauvre fille, comme si cette voix fût déjà venue d'un autre monde, je meurs par vous !"

Puis, regardant à travers ses larmes cette multitude avide du supplice de sa libératrice :

"O Rouen! dit-elle, j'ai peur que tu n'expies un jour ma mort !"

Ensuite elle pria à voix basse.

Un grand silence avait succédé au tumulte d'une foule agitée. On eût dit que cette mer d'hommes se taisait pour entendre le dernier soupir d'une vie qui allait s'exhaler. Un cri d'horreur et de douleur sortit du bûcher. C'était la flamme qui montait au vent et qui s'attachait aux vêtements et aux cheveux de la victime.

"De l'eau ! de l'eau !" cria-t-elle, par un dernier instinct de la nature. Puis, entourée comme d'un vêtement par les flammes qui tourbillonnaient autour d'elle, elle ne proféra plus que quelques balbutiements confus et entrecoupés, entendus d'en bas par le confesseur et par Isambart à travers le pétillement du bûcher. Elle laissa tomber enfin sa tête entourée de flammes sur sa poitrine, et dit d'une voix expirante : *Jésus !* On n'entendit plus sa voix et on ne retrouva qu'un peu de cendre. Winchester fit balayer cette cendre du bûcher

---

495 *s'exhaler*, to depart.

à la Seine, pour qu'il ne restât rien sur la terre de France de l'esprit et du bras de cette fille des champs, qui la disputaient à la servitude.

Il se trompa: Jeanne d'Arc était morte, mais la France était sauvée!

XL.

Telle fut la vie de Jeanne d'Arc, l'inspirée, l'héroïne et la sainte du patriotisme français : gloire, salut et honte de la nation tout à la fois. Le peuple, pour l'encadrer parmi les plus sublimes et les plus touchantes figures d'histoire, n'a pas besoin d'accepter les imaginations enthousiastes de la multitude ni les explications d'un autre temps. La patrie opprimée souffle son âme sur une jeune fille ; sa passion pour la liberté de son pays lui fait le don des miracles, don que la nature fait à toutes les grandes passions désintéressées. S'élançant des rangs du peuple, retenue par ses proches, entraînée par le dévouement, accueillie par la politique, déployée comme un drapeau par les chefs et par les combattants d'une cause perdue, déifiée par le vulgaire, victorieuse des ennemis, abandonnée du roi, des hommes et de son génie après son œuvre achevée, odieuse aux usurpateurs, vendue par leur ambition, jugée des lâches, condamnée par ses frères, sacrifiée en holocauste aux étrangers, elle s'évanouit, comme un météore, dans un sacrifice qui paraît aux uns une expiation, aux autres une assomption dans la mort.

Tout semble miracle dans cette vie et cependant le miracle, ce n'est ni sa voix, ni sa vision, ni son signe, ni son étendard, ni son épée, c'est elle-même. La force de son sentiment national est sa plus sûre révélation. Son triomphe atteste l'énergie de cette vertu en elle. Sa mission
n'est que l'explosion de cette foi patriotique dans sa
vie ; elle en vit et elle en meurt, et elle s'élève à la
victoire et au ciel sur la double flamme de son bûcher.
Ange, femme, peuple, vierge, soldat, martyre, elle est
496 l'armoirie du drapeau des camps, l'image de la France
popularisée par la beauté, sauvée par l'épée, survivant
au martyre, et divinisée par la sainte superstition de la
patrie.

---

496 *drapeau des camps*, standard of armies.

FIN.